In die Nimmer-Immer-Bos

In die Nimmer-Immer-Bos

Oorvertel deur Linda Rode

Geïllustreer deur
Fiona Moodie

Ek kap 'n blok in hierdie land
sy spaanders spat in anderland

K LEINTYD, WAARSKYNLIK OP 'N WINTERSAAND in die Klein-Karoo voor die ou Welcome Dover se houtvuurtjie, het ek hierdie raaisel gehoor. Die antwoord? 'n Brief, so het dié wat weet, gesê. Tog kan mens net so goed antwoord: 'n sprokie, want sprokies het nog deur alle eeue oor berge en woestyne getrek, oor kontinente en seë, selfs op knarsende slaweskepe, na hul bestemmings. Maar anders as 'n brief wat onveranderd anderkant aankom, verander sprokies meesal van vorm en toonaard, selfs van inhoud, op die lang reis van verteller tot verteller. So is dit ook met hierdie sestig oorvertellings en herskeppings wat om die liefde vir stories oorvertel is vir die genot van kinders en nie in die eerste plek streng folkloristies gebaseer is nie.

In die nederige plaasskoolbiblioteek van my kindertyd – 'n enkele regop tweedeurkassie met 'n paar smal rakke – was daar kosbare, voosgevatte seleksies uit die Griekse en die Germaanse mites, die fabels van Esopus en die onvergeetlike sprokies van Hans Christian Andersen en die Grimm-broers. Opgetekende sprokies van ons groot Afrika-vasteland was feitlik nie te vinde nie. Tog was daar altyd vertellers. So het my Klein-Karoo-speelmaats, Nankies en

Soen en Klein-Toet, my die eerste keer vertel van die waterslang met die "blink klip" op die kop, van die watervrou wat kinders in die palmietkuile inlok, en van die kokkewiet wat kinders se tone sny. Die Afrikaanse Jakkals en Wolf was wydbekend, soos ook Hasie en Skilpad se resies. Maar name soos Heitsi-Eibib en Kaggen, Hlakanyana en Anansi was vir ons daar tussen die ghwarries en noemnoems nog ver en onontdek.

Dit was dan die hoofdoel met *In die Nimmer-Immer-Bos* – dat stories uit die betowerende folklore-skat van Afrika oor en weer kan praat met dié uit Europa, die Ooste en elders. Want: die wêreld is wyd, wyd en vry, sing die lewerik in "So lyk die wêreld".

Nie al die stories in hierdie bundel kan egter as ware sprokies geklassifiseer word nie, al skuil hulle gerieflik onder die sprokiesambreel. Byvoorbeeld, in vergelyking met die klassieke sprokievorm van sê maar "Die towerpalm" of "Pampoentjie-meloentjie" is 'n storie soos "Die rooiste disa" (meer bekend as "Die heks van Hexrivier") hier eerder 'n breed geborduurde volksverhaal as 'n sprokie. In ander gevalle loop die grens tussen sprokie en ontstaansmite dun; daar is twee fabels ingesluit; en selfs drie kinderverse het vir die eerste keer stories geword. 'n Paar klassieke kleuterverhale vir die kleinstes moes eenvoudig deel uitmaak van die geselskap. Enkele oorvertellings uit vorige bundels soos *Goue lint, my storie begint*, met Alida Bothma se illustrasies, en *Stories vir die vaak*, deur Cora Coetzee geïllustreer, is ingesluit. Maar ook hulle is nogeens anders vertel, met die uitsondering van "Die tier, die bok en die koolkop", wat byna onveranderd opgeneem is uit *Stories vir die vaak* (1992), waarvoor dié ou raaisel destyds in storievorm verwerk is.

Om die magiese wêreld van sprokies vir kinders te help ontsluit, is 'n verbeeldingryke illustreerder onontbeerlik. Dis 'n voorreg om 'n uitmuntende kunstenaar en fyn teks-interpreteerder te vind; iemand wat 'n evokatiewe maar ook tyd-intensiewe medium gekies het en baie sonne en baie mane lank met groot toewyding gewerk het. In goeie sprokietradisie: drie maal dankie, Fiona Moodie.

Ander spanlede wat groot dank toekom vir hul volgehoue harde werk en die aanwending van hul spesiale vaardighede is: Michelle Cooper, uitgewer, en Teresa Williams, boekontwerper en Photoshop-spesialis, wat die sluitstene was in die magiese proses om van teks en illustrasies 'n boek te maak; Louise Steyn, wat innoverend geproeflees het; en Ilse Volschenk, produksiebestuurder, wat die onderhandelinge met die drukkers laat vlot het.

— LINDA RODE

INHOUD

Klein Rooi Hennetjie

Op 'n helder sonskyndag skrop Klein Rooi Hennetjie in 'n ou koring-land. Sy skrop en skrop en daar kry sy 'n koringkorrel.

"A, hierdie korreltjie moet geplant word," sê sy. "Wie sal so fluks wees om dit te doen?"

"Nie ek nie," sê die kat. "Miaau."

"Nie ek nie," sê die hond. "Woef-woef."

"Nie ek nie," sê die eend. "Kwaak-kwaak."

"Dan doen ek dit," sê Klein Rooi Hennetjie. "Pik-pik-pe-kêk."

En sy plant die koringkorrel. Die plantjie begin groei. Eers is die koringare groen, later word hulle geel, vol ryp koringkorrels.

"Die koring moet geoes word," sê Klein Rooi Hennetjie. "Wie sal dit kom sny?"

"Nie ek nie," miaau die kat.

"Nie ek nie," blaf die hond.

"Nie ek nie," kwaak die eend.

"Dan doen ek dit," kekkel Klein Rooi Hennetjie. En sy sny die koring.

Toe die koringare op 'n hopie afgesny lê, vra Klein Rooi Hennetjie: "Wie sal die koring dors? Die korrels moet losgetrap en losgevryf word uit die are."

"Nie ek nie," miaau die kat.

"Nie ek nie," blaf die hond.

"Nie ek nie," kwaak die eend.

"Dan doen ek dit," kekkel Klein Rooi Hennetjie. En sy trap die korrels los.

Toe daar 'n mooi hopie geel koringkorrels lê, vra Klein Rooi Hennetjie: "Wie sal die koring na die meule neem om dit te laat maal?"

"Nie ek nie," miaau die kat.

"Nie ek nie," blaf die hond.

"Nie ek nie," kwaak die eend.

"Dan doen ek dit," kekkel Klein Rooi Hennetjie. En sy neem die koring na die meule. Sy laat die korrels fynmaal tot dit 'n hopie meel is. Toe vra sy: "Wie sal 'n broodjie bak van die meel?"

"Nie ek nie, miaau."

"Nie ek nie, woef-woef."

"Nie ek nie, kwaak-kwaak."

"Dan doen ek dit," sê Klein Rooi Hennetjie. "Pik-pik-pe-kêk." En sy neem die meel en water en suurdeeg en 'n knypie sout en 'n klontjie vet en sy meng en knie dit, sy laat die deeg rys en sy bak 'n geurige brosbruin broodjie.

Klein Rooi Hennetjie trap links en trap regs. Toe vra sy: "Wie sal die broodjie eet?"

"Ek!" miaau die kat.

"Ek!" blaf die hond.

"Ek!" kwaak die eend.

"O nee!" kekkel Klein Rooi Hennetjie. "Ek sal dit self doen." En sy gaan roep haar kuikens en hulle eet die brosbruin broodjie warm uit die oond op, tot daar nie 'n krummeltjie oorbly nie.

Die bekende Engelse kleuterverhaal "The Little Red Hen" is die basis vir hierdie tipiese repetisiestorie. Sulke stories het die voordeel dat selfs die jongste luisteraar gou-gou fragmente daaruit kan herhaal, mits dit dikwels voorgelees word.

KUIKENTJIE KIEP

MA-HEN EN HAAR DONSKUIKEN gaan eendag bos toe om saadjies te soek. Kuikentjie Kiep kyk mooi wat sy ma doen. Hy skarrel en skrop met sy klein geel toontjies tussen die blare rond. Dis hier kiep-kiep en daar kiep-kiep en woerts! in sy keel af.

"Moenie die groot sade eet nie," waarsku Ma-Hen. "Hulle kan jou laat hoes en verstik."

Maar Kuikentjie Kiep is honger. Toe hy 'n groot saad kry, sluk hy hom ghoemps! in. En daar begin hy hoes en verstik. Ma-Hen skrik groot en hardloop na die stroompie.

"Stroompie, blink stroompie," sê sy,
"gee my tog 'n slukkie water.
Kuikentjie Kiep hoes en verstik."

En die stroompie sê:

"Gee my 'n koppie,
   dan gee ek jou 'n slukkie water."

Ma-Hen hardloop na die akkerboom en sê:

"Akkerboom, groen akkerboom,
   gee my tog 'n akkerdoppie,
   dan gee die stroompie my 'n slukkie water.
   Kuikentjie Kiep hoes en verstik."

En die akkerboom sê:

"Rittel my en skud my,
   dan gee ek jou 'n akkerdoppie."

Ma-Hen hardloop na 'n seuntjie en sê:

"Seuntjie, liewe seuntjie,
   kom rittel en skud tog die akkerboom,
   dan gee hy my 'n akkerdoppie,
   dan gee die stroompie vir my water.
   Kuikentjie Kiep hoes en verstik."

Die seuntjie sê:

"Gee my 'n paar skoene,
   dan rittel en skud ek die akkerboom."

Ma-Hen hardloop na die skoenmaker en sê:

"Skoenmaker, flukse skoenmaker,
gee my tog skoene vir die seuntjie,
dan rittel en skud hy die akkerboom,
dan gee die akkerboom my 'n akkerdoppie,
dan gee die stroompie my water.
Kuikentjie Kiep hoes en verstik."

Die skoenmaker kry Ma-Hen jammer. Hy sny twee skoentjies uit sagte leer, hy werk hulle aanmekaar met riempies en 'n els, en ritse-rats, ryg hy twee rooi veters deur die vetergate.

Die skoenmaker gee die skoene vir Ma-Hen
en sy gee die skoene vir die seuntjie
en die seuntjie rittel en skud die akkerboom
en die akkerboom gee 'n akkerdoppie
en die stroompie gee sy water
en Ma-Hen gee die water vir Kuikentjie Kiep.

Ugge-ugge-hoes-en-proes! Ghloegh-ghloegh-aaa! gly die water uit die akkerdoppie deur Kuikentjie Kiep se keel. Daar en dan hou hy op met hoes en verstik. En Ma-Hen klap haar vlerke, so bly en verlig is sy.

Gebaseer op "Little Tuppens", nog 'n tradisionele Engelse kleuterstorie, hier in kompakter vorm oorvertel. 'n Kettingstorie, waarin een aksie van die volgende afhanklik is.

Varkentjie Vark vars
van die mark

In 'n land in Afrika waar baie kakaobome en reuse-piesangbome groei, gaan 'n seuntjie eendag mark toe. Sy naam is Kofi. Sy ma het vir hom geld gegee en 'n hand vol grondboontjies vir padkos. Hy moet vir hulle 'n varkie gaan koop op die mark, sê sy.

Kofi soek 'n spekvet varkie uit en jaag hom fluit-fluit aan na sy huis toe. Maar voor hy by sy huis kom, moet hulle deur 'n rivier. En daar steek Varkie vas.

"Og, og," snork hy, "ek loop nie deur die water nie!"

Kofi praat mooi:

"Varkentjie Vark, maak jou steweltjies nat,
anders slaap ons twee vannag langs die pad."

Maar Varkie verseg om deur die water te loop.

Kofi loop verder met die rivier langs. Hy sien 'n hond en hy vra:

"Hond, Hond, byt vir Vark,
Vark wil nie deur die rivier nie
en ek gaan nie voor donker
by die huis kom nie."

Maar Hond wil nie vir Vark byt nie.
Kofi loop 'n bietjie verder op met die rivier. Hy sien 'n stok en hy vra:

"Stok, Stok, slaan vir Hond,
Hond wil nie vir Vark byt nie,
Vark wil nie deur die rivier nie
en ek gaan nie voor donker
by die huis kom nie."

Maar Stok wil nie vir Hond slaan nie.
Kofi loop nog verder op met die rivier. Hy sien 'n vuurtjie brand en hy vra:

"Vuur, Vuur, brand vir Stok,
Stok wil nie vir Hond slaan nie,
Hond wil nie vir Vark byt nie,
Vark wil nie deur die rivier nie
en ek gaan nie voor donker
by die huis kom nie."

Maar Vuur wil nie vir Stok brand nie.
En toe vra Kofi vir die water in die rivier:

"Water, Water, blus vir Vuur,
Vuur wil nie vir Stok brand nie,
Stok wil nie vir Hond slaan nie,
Hond wil nie vir Vark byt nie,
Vark wil nie deur die rivier nie
en ek gaan nie voor donker
by die huis kom nie."

Maar Water wil nie vir Vuur blus nie.
Toe sien Kofi 'n yslike luislang tussen biesies lê en hy vra:

"Luislang, Luislang, drink vir Water op,
Water wil nie vir Vuur blus nie,
Vuur wil nie vir Stok brand nie,
Stok wil nie vir Hond slaan nie,
Hond wil nie vir Vark byt nie,
Vark wil nie deur die rivier nie
en ek gaan nie voor donker
by die huis kom nie."

"Sssjoe," sis die yslike luislang, "ek is juis dors. Nege, tien slukke en die rivier
is leeg."
En Luislang begin Water opdrink.
Sssluk, sssluk, sssluk . . .
Water skrik en begin Vuur blus.
Vuur begin Stok brand.
Stok begin Hond slaan.

Hond begin Vark byt.

Vark plas kapatsje-kapatsje-kapatsj! deur die rivier.

En Kofi kom voor donker by sy huis aan, met Varkentjie Vark op 'n draffie voor hom uit.

"Mooi so, Kofi," sê sy ma en gee vir hom lekker saggekookte jamswortels om te eet.

Marktoegaan-en-terug-stories soos hierdie is wêreldwyd bekend. Hierdie een is teen 'n Ghanese agtergrond oorvertel. In 'n baie ou sprokie uit Friesland is dit 'n ou vroutjie wie se markvarkie nie wil saamgaan huis toe nie — behalwe as hy heelpad gedra word! Daarvoor sien sy nou ook nie kans nie . . . Mens kan natuurlik maklik self jou eie marktoegaan-en-terug-storie uitdink en aanmekaar ryg.

DIE HUISIE BY DIE VER–VERRE HEUWELS

Op 'n dag staan 'n varkie deur die pale van sy hok en uitkyk. Hy loer met sy skrefiesogies na die ver-verre heuwels, en hy dink: Og nee, in hierdie hok wil ek nie langer bly nie. Eendag is eendag, dan slag hulle my. Hier moet ek uit. Hy mik en hy mik en sowaar, hy wip bo-oor die houtheining van sy hok, krulstertjie in die lug, en land og-og-oeps! op die grond.

"Haai daar, Varkie, waarheen is jy op pad?" roep Skaap vir hom uit die weikampie.

"Ek's moeg van in 'n varkhok hou," sê Varkie.
"By die ver-verre heuwels wil ek 'n huisie bou."

"Neem my saam, neem my saam," sê Skaap en kom sommer aangedraf.
"Wel," sê Varkie, "wat kan jy doen om te help?"
"O, ek kan pale nader sleep vir jou."
"Goed dan," sê Varkie. "Jy is net die regte een."

Kort daarna sien hulle vir Gans by die dam. "Haai daar," roep Gans, "waarheen is julle twee op pad?"

"Ek's moeg van in 'n varkhok hou," sê Varkie.
"By die ver-verre heuwels wil ons 'n huisie bou."

"Neem my saam, neem my saam," sê Gans en waggel nader.
"Wel," sê Varkie, "wat kan jy doen om te help?"
"O, ek kan blare en spinnerakke en mos bymekaarsoek en dit in die skrefies tussen die pale druk sodat dit nie inreën nie."
"Goed dan," sê Varkie en Skaap. "Jy is net die regte een."
Daar kom Haas aangehop. "Haai daar, waarheen is julle drie op pad?" vra hy.

"Ek's moeg van in 'n varkhok hou," sê Varkie.
"By die ver-verre heuwels wil ons 'n huisie bou."

"Neem my saam, neem my saam," sê Haas en klop doef! met sy agterpote.
"Wel," sê Varkie, "wat kan jy doen om te help?"
"O, ek kan gate grawe vir jou huis se pale," sê Haas. "En die hele huis aanmekaarsit vir jou. Tjoef-tjaf. Elke muur netjies en sekuur. Haastig en geswind. Soos die wind."
"Uitstekend!" sê Varkie en Skaap en Gans. "Jy is net die regte een."
Op 'n draai in die pad sien hulle vir Haan. "Haai daar, waarheen is julle vier op pad?" vra Haan.

"Ek's moeg van in 'n varkhok hou," sê Varkie.
"By die ver-verre heuwels wil ons 'n huisie bou."

"Neem my saam, neem my saam," vra Haan en klap sy vlerke opgewonde.

"Wel," sê Varkie, "wat kan jy doen om te help?"

"O, ek kan julle wekker wees," sê Haan. "Ek sal julle elke môre wakker kraai. Nooit te vroeg nie. Nooit te laat nie. Net betyds."

Varkie en Skaap en Gans en Haas dink eers 'n bietjie. Toe sê hulle: "Goed dan, jy is net die regte een."

Toe hulle by die ver-verre heuwels kom, gaan soek Varkie die houtpale uit. Skaap bring hulle bymekaar op 'n hoop. Haas grawe die gate vir die houtpale en sit die huis aanmekaar, slimme Haas wat hy is. Gans maak die skrefies tussen die pale mooi dig met blare en spinnerakke en mos. O, dit was 'n heerlike, warme huisie om in te woon aan die voet van die ver-verre heuwels langs 'n waterstroom en 'n ruisende ou populier. Hulle noem hulle huis "Ons Klein Paradys", en elke môre vlieg Haan op die dak van die huis en kraai vir Varkie en Skaap en Gans en Haas wakker. Nooit te vroeg nie. Nooit te laat nie. Net betyds.

Gebaseer op die ou Engelse kleuterstorie "The house on the hill".
In talle variasies ook in ander tale bekend.

Die ronde rooster-koekie rol

Op 'n koue, mistige dag maak 'n vrou drie roosterkoeke vir haar man wat die hele dag op die heideveld gewerk het om 'n nuwe stukkie land skoon te maak.

Die vrou sit die drie roosterkoeke op 'n bord om eers bietjie af te koel. Die grootste roosterkoek en die middelslag-een lê en stoom rustig op die bord. Maar die kleinste enetjie, bruin soos 'n neut en heerlik, wipper en wapper homself regop, rol van die bord af en uit by die deur van die huisie en – rollerollerom – af met die heuwel waarteen die huisie staan. "Niemand gaan my tog eet nie!" lag hy sy hees roosterkoek-laggie. "Gegge-gegge-gêêê, ek is vry, vry, vry!"

Maar o land, aan die voet van die heuwel rol die roosterkoekie tot stilstand in 'n rietbos langs 'n breë, stromende rivier. Ai-tai-tai! Hoe gaan hy oor die rivier kom?

Die riete ritsel en ruis. 'n Roesbruin vos steek sy swart snoetpunt tussen die rietstele uit. "A, neutbruin roosterkoekie," sê die vos, en sy pienk tong flits

oor sy lippe, "ek sien jy het 'n probleem. Ek sal gou-gou met jou deurswem tot by die anderkantste oewer."

"Hm, nee dankie," sê die roosterkoekie met 'n krakerige stemmetjie. "Jy wil my net opeet, dis wat!"

"Maar nog nooit nie," protesteer die vos. "Kom sit op my stertpunt, daar is jy mos veilig, en ek swem gou deur met jou."

Die roosterkoekie rol bietjie hiernatoe en rol bietjie soontoe. Toe sê hy: "Ja wat, dit klink heel veilig," en hy wip op die vos se stertpunt en die vos stap met hom rivier-in.

Maar gou-gou word die water al dieper, die vos begin swem en sê: "Jy sal moet opskuif tot op my rug, roosterkoekie, of jy gaan nat word." En die roosterkoekie rol tot op die vos se rug.

Toe hulle halfpad is, sê die vos: "Jy sal moet opskuif tot op my nek, roosterkoekie, die water word al dieper." En die roosterkoekie rol tot op die vos se nek.

Toe hulle driekwart deur die rivier is, sê die vos: "Jy sal moet opskuif tot op my swart snoetpunt, roosterkoekie, anders gaan jy sopnatpap word!"

En die roosterkoekie – die ronde, neutbruin roosterkoekie – rol ewe getroos tot op die vos se swart snoetpunt. Floep! wip die vos sy neus in die lug en vang die roosterkoekie toe hy afkom en eet hom daar en dan knirts-knarts op. Toe draai hy om en swem lag-lag terug oor die rivier.

Skots. Byna soos die storie van die gemmerbroodmannetjie, net met 'n ander lekkerny. Die tradisionele Skotse "bannock" (roosterkoek sonder suiker) word van hawermeel gemaak. Vir nog 'n rivieroorsteek-storie lees gerus "Krokodil Kokkedoor en die dwerghert" in hierdie bundel, of "Die tier, die bok en die koolkop".

WIE HET OP
MY STOELTJIE GESIT?

DAAR WAS EENMAAL LANK GELEDE 'n krulkopdogtertjie wat saam met haar ma en pa in 'n huisie langs 'n woud gewoon het. Haar hare was blink en blond, toe noem haar ma en pa haar Gouelokkies.

Die voëls en die eekhorings in die woud was Gouelokkies se maats. Sy was glad nie bang om ver tussen die bome in rond te dool nie. Die eekhorings het haar altyd die pad huis toe gewys.

In dieselfde woud het drie bere in 'n houthuis gewoon, maar Gouelokkies het niks van hulle geweet nie. 'n Groot pappabeer met 'n diep stem, 'n mollige mammabeer met 'n sagte stem en 'n oulike bababeer met 'n kleinbeerstem.

Op 'n dag kom Gouelokkies diep in die woud op die bere se huis af. Rook dwarrel uit die skoorsteen, die deur staan wawyd oop. En Gouelokkies is 'n nuuskierige agie. Wie sou hier woon? Sy loer na binne. Ai, hoe lekker! Daar staan 'n tafel met drie stoele, en drie bakkies stomende pap en melk, met suiker daarby, op die tafel. Nou is Gouelokkies skielik honger!

Sy klop tok-tok, tok-tok, maar niemand kom nie. Sy gaan in. Heel eerste

gaan sit sy op Pappabeer se groot stoel, maar hy is veels te hard. Toe gaan sit sy op Mammabeer s'n, maar hare is veels te sag. Bababeer s'n is nie te hard nie, nie te sag nie, net mooi reg. Maar o liewe, toe sy gaan sit, breek die stoeltjie uitmekaar!

Sy proe van Pappabeer se pap, maar dis veels te warm. Mammabeer s'n is veels te koud. Maar Bababeer s'n is nie te warm nie, nie te koud nie, net mooi reg. En so lekker dat Gouelokkies alles opeet.

"Giaau," gaap sy, "nou's ek so vaak, ek wens ek kan 'n bietjie slaap." Sy klim met die trap op boontoe. Heel eerste gaan val sy neer op Pappabeer se bed met die growwe groen kombers. Maar ai nee, dis veels te hard. Toe probeer sy Mammabeer se bed met die donskombers, maar ai nee, dis veels te sag. Heel laaste spring sy op Bababeer se bed met die bont lappieskombers – en dit is nie te hard nie, nie te sag nie, net mooi reg. Gouelokkies trek die lappieskombers oor haar, sy maak haar oë toe en gou is sy vas aan die slaap.

'n Rukkie later kom Pappabeer, Mammabeer en Bababeer by die voordeur in.

"Grrrm," grom Pappabeer. "Iemand het op my stoel gesit!"

"O liewe land! Iemand het op my stoel ook gesit!" sê Mammabeer.

"Ag nee, boe-hoe," huil Bababeer. "Iemand het op my stoeltjie gesit en hom heeltemal stukkend gebreek!"

Toe kyk die bere na die tafel.

"Grrrm," grom Pappabeer. "Iemand het aan my pap geproe!"

"O liewe land! Iemand het aan my pap ook geproe!" sê Mammabeer.

"Ag nee, boe-hoe," huil Bababeer. "Iemand het aan my pap geproe en alles opgeëet!"

Die drie bere gaan staan doodstil en kyk vir mekaar. Toe storm Pappabeer die trap op, met Mammabeer en Bababeer agterna.

"Grrrm," grom Pappabeer. "Iemand het in my bed probeer slaap!"

"O liewe land! Iemand het in my bed ook probeer slaap!" sê Mamma-beer.

"Ag nee, boe-hoe," huil Bababeer. "Iemand het in my bedjie probeer slaap – en kyk, hier slaap sy nog altyd!"

Sjoe, maar toe raas die drie bere darem. Gouelokkies skrik wakker, sy kyk in die drie bere se kwaai gesigte vas en sy gooi die lappieskombers dat hy doer trek. Toe hol sy die trap af en uit by die deur en dwarsdeur die woud tot by haar eie huis en in haar mamma se arms in.

In die vroeë vorms van hierdie alombekende Engelse storie was dit 'n ou vroutjie wat die drie bere se huis gaan besoek het. Eers in 1849 het Joseph Cundall die storie oorvertel met 'n dogtertjie daarin: Silver Hair. Sy het later Silver Locks geword en nog later Goldilocks. Soos ons haar in Afrikaans ken: Gouelokkies.

DIE WOLF EN DIE SEWE BOKKIES

EENDAG EN ALTEMIT WAS DAAR 'N MA-BOK met sewe boklammertjies. In 'n houthuisie met 'n skewe dak, en 'n groentetuin voor die deur. Ja, rêrig!

Op 'n dag sê Ma-Bok vir die sewe bokkies: "Ek gaan hout soek in die woud vir ons vuurtjie. Julle maak vir niemand die deur oop nie, hoor? Trek die gordyne toe. Pas op vir die wolf. Hy het 'n growwe stem en vaalgrys pote. As hy in die huis kom, eet hy julle almal op."

Ma-Bok is skaars weg om houtjies te gaan optel, toe klop Wolf aan die voordeur. "Maak oop, kindertjies, dis julle liewe ma," sê hy met sy growwe stem soos gruisklippertjies.

"Nee!" skree al sewe bokkies saam. "Jy's nie ons ma nie. Jy het 'n growwe stem en jy wil ons opeet."

Die wolf sluip weg. Na 'n rukkie is hy weer daar. Hy het mooitjies gaan heuning eet sodat sy stem sag en mooi kan klink. "Maak oop, kindertjies, dis julle liewe ma," sê hy met 'n heuningstemmetjie.

Maar die bokkies dink eers 'n bietjie. Die oudste bokkie trek die gordyne voor die venster op 'n skrefie oop en sê: "Wys jou pote vir ons."

Die wolf sit sy vaalgrys pote op die vensterbank.

"Nee!" skree al sewe bokkies. "Jy's nie ons ma nie. Jy het vaalgrys pote."

Die wolf sluip weer weg. Hy gaan koop 'n sak meel en druk sy pote diep in die meel tot hulle spierwit is. Toe loop hy terug na die bokkies se huis, suutjies-suutjies sodat die meel nie afskud nie.

"Maak oop, kindertjies, dis julle liewe ma," sê hy met 'n lief-vir-jou-stemmetjie en sit sy meelwit voorpote mooi-netjies-nes-'n-ma-s'n op die vensterbank.

"A," sug die bokkies. "Dis ons ma." En hulle maak die deur oop.

O boksemdaais en holderstebolder! Hier kom die wolf!

Twee van die bokkies glip agter die deur in. Harg-harg! sluk die wolf hulle in. Twee bokkies kruip onder die bed weg. Wloeps-wloeps! sluk die wolf hulle ook in. Een bokkie klouter in die kombuiskas. Die wolf snuffel hom uit en blaps! sluk hy hom in. Een bokkie kruip agter die gordyne weg, maar die wolf snuffel hom ook uit en ghloeps! weg is hy. Die kleinste bokkie het in die groot staanhorlosie ingespring en die deurtjie toegeklap. Hy sit tjoepstil op bibber-boudjies terwyl die ou horlosie tik-tak, tik-tak. En die wolf kan hom nie kry nie.

Sukkel-sukkel en swaar van pens draf Wolf later weg. In die woud raak hy vreeslik vaak en gaan lê onder 'n bessiebos. Snork, snork, snork.

Ma-Bok kom by die huis. "Waar is julle, kindertjies?" roep sy.

Dis doodstil. Ma-Bok se hart klop bang. Daar gaan die groot staanhorlosie se deur oop en die kleinste bokkie spring uit.

"Ma-a, Ma-a," huil hy, "die wolf het al ses my boeties en sussies ingesluk."

Ma-Bok sit die bondel houtjies neer. "Kalm bly," sê sy. "Altyd kalm bly,

dan kan jy beter dink, my kind." Sy gaan haal 'n skêr en 'n naald en gare. Sy glip dit in haar voorskootsak. "Kom, bokkie-my-kind," sê sy, "en moenie so bewe nie. Ma is hier."

Ma-Bok en die kleinste bokkie loop die woud in. Hulle soek en soek en daar kry hulle die wolf, vas aan die slaap met sy maag vol bokkies. Rits-rats, knip Ma-Bok die wolf se boepens oop met haar skêr.

"Joeghaai, Ma!" skree die ses bokkies en spring een vir een uit die wolf se maag.

"Sjuut, sjuut tog, kindertjies," waarsku Ma-Wolf. En sy pak 'n klompie spoelklippies in die wolf se maag en werk hom netjies toe met naald en gare sonder dat hy 'n oog oopmaak. Toe tou die sewe bokkies in 'n ry agter Ma-Bok aan tot in hul eie huisie. Ma-Bok sluit die deur en gooi houtjies op die vuur sodat hulle kan warm word.

"Ma," sê die kleinste bokkie na 'n rukkie, "Ma, ons sal nooit weer die deur vir 'n wolf oopmaak nie . . ."

En die slimste bokkie sê: ". . . want nou weet ons wolwe lyk partykeer glad nie soos wolwe nie!"

Wat van die wolf geword het? Allerhande stories word vertel, maar al wat ons regtig weet, is dat hy skoonveld verdwyn het.

Duits. Hierdie sprokie, deur die Grimm-broers opgeteken, het eeue tevore al in die Latynse Romulus-fabelversameling voorgekom. In die Grimm-verhaal tuimel die dors wolf met sy swaar, klipgevulde maag in 'n put af.

Ver oor die berge tot by die blou see

Fluit-fluit, my storie begint

Flippie Flater van die plaas Koelewater het 'n rietfluit gehad. 'n Flieterige, fluiterige rietfluit wat hy vir hom in die rietbos op die plaas gesny het. Soggens, saans en heelnag deur het Flippie Flater op sy rietfluit geoefen. Maar die enigste lied wat hy ooit kon speel, was "Ver oor die berge tot by die blou see".

Toe Flippie "Ver oor die berge tot by die blou see" nou rêrig goed ken, stap hy eendag al met die plaaspad langs. En hy speel die liedjie op sy fluit, so hard as hy kan. Die eerste wat hom hoor, is drie vroetelvarkies. Met snoete in die lug en ore wat flap, draf hulle agter Flippie aan.

Tant Sofia is besig om Karlientjie die koei te melk. Sjierts, sjierts, spuit die melk in die emmer, toe hoor hulle Flippie se rietfluit met "Ver oor die berge tot by die blou see". Tant Sofia los die emmer net daar en sy en Karlientjie die koei wals agter Flippie aan, een-twee-drie, een-twee-drie, draai-aai en swaai.

Gogo Lindiwe soek hoendereiers uit die neste bymekaar. Toe sy die laaste eier in haar mandjie sit, hoor sy Flippie se rietfluit met "Ver oor die berge tot by die blou see". En Gogo Lindiwe begin dans agter Flippie aan, hiernatoe en soontoe, sy toi-toi so lekker dat die eiers een vir een uit die mandjie vlieg.

Op 'n dam langs die pad swem ses spierwit eende. Toe hulle Flippie se riet-fluit hoor met "Ver oor die berge tot by die blou see", roei en stoei hulle uit die water en wiegel op hul plat eendepote al agter Flippie aan.

Daar kom Boer op Dapper, sy vosperd, aangery. En toe hy Flippie Flater se rietfluit hoor met "Ver oor die berge tot by die blou see", sê hy: "Hop-galop, my dapper perdjie!" en daar trek hulle. Al agter Flippie en die drie vroetel-varkies en Tant Sofia en Karlientjie die koei en Gogo Lindiwe en die ses spier-wit eende aan. Bo-oor die berge . . . tot by die blou see.

Fluit-fluit, my storie is half

En al wieker, al wakker, daar dans hulle klomp op die sand, hulle swem in die see, hulle lê in die son. Eers toe die maan en die aandster al gloei in die skemer lug, sê Flippie Flater slaperig: "Dis ty-y-d om hui-ui-uis toe te gaan . . ." En hy speel so flieee-te-rig en fluiii-te-rig op sy rietfluit vol seesand, en die drie vroetelvarkies kom val-val en vaak-vaak agterna – og, og! – en Tant Sofia en Karlientjie die koei kruie kreun-kreun agterna – o goeiste tog! – en Gogo Li-ndiwe sukkel steun-steun agterna – hayi! – en die ses spierwit eende volg wie-ge-lend en wag-ge-lend, en heel agter kom Dapper op 'n sta-dige stappie met Boer wat gaap en sug en kopknik op sy rug.

Laat die nag toe die sterre almal hoog en wit sit, kom hulle op die plaas aan, vol seesand en taai van die seewater, en allervreesliks honger, want hulle was mos ver oor die berge tot by die blou see.

Daarna het Flippie Flater nooit weer op sy rietfluit gespeel nie, want die fluit het van skone moegheid sy wysie vergeet. Maar die rietbos het Flippie se liedjie onthou, en snags wanneer die wind deur die bos roer, sing die riete: "Ver oor die berge tot by die blou see . . ." Dan sug Karlientjie die koei in haar slaap, want sy droom sy wals weer op die strand . . . een-twee-drie, een-twee-drie, draai-aai en swaai.

Fluit, fluit, my storie is uit

'n Ou Engelse kleuterrympie, "Tom the playful Piper", het as inspirasie vir hierdie aanhaak- of stapelstorie in 'n Suid-Afrikaanse konteks gedien.

KOETERWAAL DIE ALTYD-
HONGER-KAT

EENMAAL WAS DAAR 'N KAT OP 'N PLAAS. 'n Yslike kat. 'n Reuse-kat. 'n Altyd-honger-kat. 'n Nooit-genoeg-kat. 'n Nimmersat van 'n kat. En sy naam was Koeterwaal.

Een môre eet Koeterwaal tien skottels melkkos met suiker en kaneel. Skommel-skommel loop hy met die plaaspad langs. Daar kom die boer verby met 'n groot geel pampoen op sy skouer.

"Môre, Koeterwaal," groet die boer. "Het jy vanmôre genoeg geëet?"

"Gmf," sê Koeterwaal. "Net tien skotteltjies melkkos met suiker en kaneel. Noudat ek daaraan dink, eet ek jou sommer ook!" Een gaps, en weg is die boer en sy groot geel pampoen.

Kort daarna kom Blommetjie die koei verby. "Môre, Koeterwaal," groet sy. "Het jy vanmôre genoeg geëet?"

"Gmf," sê Koeterwaal. "Net tien skotteltjies melkkos met suiker en kaneel en die boer en sy groot geel pampoen. Noudat ek daaraan dink, eet ek jou sommer ook." Een gaps, en weg is Blommetjie die koei.

Toe kom Thabo verby met sy boeksak en sy rietfluit, op pad skool toe. Tierie-tierie-truut, blaas hy op sy fluit. "Môre, Koeterwaal," sê Thabo. "Het jy vanmôre genoeg geëet?"

"Gmf," sê Koeterwaal. "Net tien skotteltjies melkkos met suiker en kaneel, die boer en sy groot geel pampoen, en Blommetjie die koei. En noudat ek daaraan dink, eet ek jou sommer ook!" Een gaps, en weg is Thabo met sy boeksak en sy rietfluit.

'n Swerm hadidas kom sit op die gras voor Koeterwaal en pik wurmpies uit met hul lang dun snawels. "Môre, Koeterwaal," sê die oudste hadida. "Het jy vanmôre genoeg geëet?"

"Gmf," sê Koeterwaal. "Net tien skotteltjies melkkos met suiker en kaneel, die boer en sy groot geel pampoen, Blommetjie die koei, en Thabo met sy boeksak en sy rietfluit. En noudat ek daaraan dink, eet ek julle hele klomp sommer ook!" En hy sluk die hele swerm hadidas in, wurmpies en al.

Maar toe moet Koeterwaal 'n bruggie oor. En voor hom op die bruggie staan Rammetjie Uitnek met sy skuins geel oë en sy twee skerp horings. "Nou toe, Koeterwaal, het jy vanmôre genoeg geëet?" vra Rammetjie Uitnek en stamp-stamp met sy klein swart stewels op die brug.

"Gmf," sê Koeterwaal. "Net tien skotteltjies melkkos met suiker en kaneel, die boer en sy groot geel pampoen, Blommetjie die koei, Thabo met sy boeksak en sy rietfluit, en die hele swerm hadidas, wurmpies en al. En noudat ek daaraan dink, eet ek jou sommer ook!"

"Ba, dit sal ons nog sien!" sê Rammetjie Uitnek. Hy laat sak sy kop en stamp Koeterwaal dat hy doer in die lug trek, bo-oor die son en die sterre en die maan. "Mi-aaa-aaau!" gil Koeterwaal. En toe begin hy val. Af, af, aarde toe. Laer en laer. Hy land met 'n plof in 'n koringland, sy maag bars oop en daar stap hulle almal uit: die swerm hadidas, wurmpies en al, Thabo met sy boeksak en sy rietfluit, Blommetjie die koei, en die boer en sy groot geel pampoen. Almal fris en gesond.

"My maag. My maag!" kreun Koeterwaal.

Thabo met die boeksak en die rietfluit kry vir Koeterwaal jammer. Hy gaan roep sy mamma. Sy mamma kom werk Koeterwaal se maag netjies toe, sy smeer hom in met katjiepoetolie uit Abdul Allies se winkel op die dorp, en gee hom 'n slukkie boegoetee, spesiaal gebrou deur die boer se vrou.

Van toe af het Koeterwaal nooit weer so baie geëet nie, net een klein bakkie melkkos met 'n bietjie kaneel sonder suiker elke dag.

Gedorie, wat 'n glad-nie-waar-nie-storie

Skandinawies. Nog 'n aanhaakstorie, hier met 'n eg Suid-Afrikaanse geurtjie oorvertel: die melkkos (deegfrummels of -snysels wat in melk gekook word, gewoonlik met suiker en kaneel geëet) en boegoetee, wat tradisioneel vir allerhande kwale gebruik word. Katjiepoetolie (of kajapoetolie) kom van die Maleise woord "kajoe" wat "hout" beteken, en "poetih" wat "wit" beteken. Olie van die withoutboom. Ons het 'n skat van woorde van Maleise oorsprong in Afrikaans, soos: piering, baie, bobotie.

Die wolf en die drie varkies

Daar was eendag 'n mammavark wie se drie varkies groot genoeg was om die wye wêreld in te gaan.

"Og, og," sê die ou varksog vir die drie, "wees altyd op en wakker en bou vir julle stewige huise voor die winter kom. Kyk uit vir die wolf. En onthou, as jy swak is, moet jy slim wees."

Ja, Ma. Ja, Ma. Ja, Ma, knik die drie en begin stap. Elkeen kies sy eie pad.

Sommer gou bou die eerste varkie vir hom 'n huis van strooi. Die strooi-halms ritsel en buig in die wind.

Die volgende oggend klop die wolf aan die deur, doef-doef, en sê:

"Laat my in,
laat my in
dat die pret
kan begin."

"Nog so nimmer as te nooit!" antwoord die varkie.

"Dan snuf ek en snuif ek, dan fluit ek en blaas jou huis tjoef-tjaf om," sê die wolf en hy blaas die strooihuisie om en hy eet die varkie tjop-tjop op.

Die tweede varkie bou vir hom 'n huis van stokkies. Die stokkies kraak en knak in die wind.

Doef-doef, klop die wolf aan die deur en sê:

"Laat my in,
  laat my in
  dat die pret
  kan begin."

"Nog so nimmer as te nooit!" antwoord die tweede varkie.

"Dan snuf ek en snuif ek, dan fluit ek en blaas jou huis tjoef-tjaf om," sê die wolf en hy blaas die stokkieshuisie om en eet die varkie tjop-tjop op.

Die derde varkie bou vir hom 'n huis van bakstene en sement. Die huis staan vas en stewig in die wind. Oe-o, dink die wolf, dit gaan nie maklik wees nie. Maar hy klop aan die deur, doef-doef, en sê:

"Laat my in,
  laat my in
  dat die pret
  kan begin."

"So nooit as te nimmer nie!" antwoorde die derde varkie beslis.

"Laat my net die punt van my neus by die deur insteek," vra die wolf.

"Nee!" sê die varkie.

"Ag, net die punt van my poot."

"Nee!" sê die varkie.

"Of net die ou puntjie van my stert," probeer die wolf weer.

"Nee, nee, nee!" sê die varkie.

"Dan . . . snuf ek en . . . snuif ek, dan . . . fluit ek en . . . blaas jou huis tjoef-tjaf om!" sê die wolf. En hy sssnuf en hy sssnuif en hy fffluit en hy bbblaas so al wat hy kan, maar die derde varkie se huisie van bakstene en sement bly vas en stewig staan.

"Og-og," lag die varkie deur die venster, en die wolf word briesend kwaad daaroor. "Harrrg," grom hy terug, "ek gly soos niks deur die skoorsteen!"

Maar die derde varkie hou kop.

Hy sit 'n yslike swart pot vol kookwater reg en toe Wolf deur die skoorsteen afgly, plons hy pylreg in die kookwater in. Tjoef-tjaf is hy gaar . . . en die varkie eet hom op, tjop-tjop.

Toe gaan sit die varkie kloutjies oormekaar op sy voorstoep en sê vir homself: "As jy swak is, moet jy slim wees!"

In die meeste oorvertellings ontvlug die eerste twee varkies. In 'n optekening van Joseph Jacobs (1854-1916), 'n gerespekteerde versamelaar van Engelse en ander folklore, word die eerste twee varkies tjop-tjop deur die wolf opgeëet — omdat huisies van strooi en stokkies nou eenmaal nie 'n wolf kan uithou nie.

Die tier, die bok en die koolkop

Eendag roei 'n man in sy bootjie oor 'n rivier om by die mark te kom. Daar koop hy vir hom 'n bokooi met 'n koperklok om haar nek, want hy was lus vir bokmelk. En hy koop vir hom 'n koolkop, want hy was 'n man wat lief was vir koolbredie.

En daar stap hy met die koolkop onder sy arm en die bok aan 'n tou al agter hom aan. Die hele pad dink die man: Ai, maar die kinders sal bly wees oor die bokmelk. Hulle sal vet en blink word van die goeie bokmelk. Dis 'n goeie ding dat hulle 'n pa het wat van bokke af weet!

Maar so af en toe kom die bok stilletjies van agter en hap na die groen koolblare.

"Hiert, jou bok-met-die-klok," raas die man. "Siejy ophou om aan my koolblare te peusel."

En dan loop die bok weer mooi soet agter die man aan. Maar haar geel bok-oë bly op die groen koolblare.

Net toe hulle by die rivier kom waar die man se bootjie vir hom lê en wag, spring 'n groot, sterk tier uit die bosse. Die man skrik hom asvaal, die bok skop agterop, net die koolkop lê doodstil onder die man se arm.

"Genade, Tier, wat laat jy my so skrik?" vra die man.

Tier lag met 'n oop pienk bek. "Man-met-die-bok-en-die-koolkop," sê hy, "ek soek werk. Ek kan ploeg, ek kan saai, ek kan alles doen. En jy hoef my nie te betaal nie. Net kos gee, dis al." En toe draai die tier sy skuins groen oë net so effens na die bok se kant toe.

Liewe land, dink die man. Dis net wat ek nodig het. 'n Sterk tier wat al die harde werk kan doen. "Afgespreek," sê hy. Maar toe val iets hom by. Sy bootjie is klein. Hy en die bok en die koolkop en die tier kan nooit almal saam oorroei nie. Hy kan net een van die drie op 'n slag saamneem.

"Nou ja, dan vat ek die bok eerste oor," sê hy ewe slim, want hy weet die tier sal tog nie aan die koolkop begin vreet nie.

"Sien jou nou-nou, Tiertjie," groet hy en roei oor die rivier met die bok. Hy sien nie die tier sit hom met 'n yslike glimlag en agternakyk nie.

Hy laai die bok af aan die ander kant van die rivier en roei haastig terug na die tier en die koolkop. "Nou ja, nou vat ek die koolkop oor . . . O nee, dit sal nie werk nie. Ag nee, ek vat die tier oor . . . O tog, dit gaan ook nie werk nie. Los ek die koolkop by die bok, vreet sy hom sweerlik op. Los ek die tier by haar, vreet hy háár weer op. O tog, o tog!"

En hy dink en hy dink, en die tier se glimlag word al hoe breër!

Uit-ein-delik kry die man 'n plan. Hy laai die tier in die boot. Die tier wil hom doodlag oor die man so dom is, want solank die man terugroei om die koolkop te gaan haal, gaan hy wat Tier is mos die bokooi opvreet, dink hy.

Toe hulle oorkant by die bokooi aankom, laai die man die tier af – máár hy laai die bokooi weer op! Hy roei met haar terug oor die rivier, los haar op die oewer en roei gou terug na die tier toe . . . met die koolkop, natuurlik.

Toe die tier die plan agterkom, hang sy lip byna op die grond.

Gou-gou gaan haal die man nou weer die bok met die klok. Hy vat die koolkop onder die arm, sit die tou om die bok se nek en begin stap. Die tier draf dikbek langsaan.

Toe sê die man vir die tier: "Nou toe, Tiertjie, hardloop jy solank vooruit en gaan ploeg die land om dat ons môre kan saai. As jy voor sononder klaar geploeg het, kan jy vanaand 'n beker warm bokmelk kry!"

Die oorsprong hiervan is 'n eeue oue stel raaisels wat die denkvermoë toets.
In baie Westerse lande, asook in Afrika, bekend. Die oorspronklike stel word toegeskryf
aan Alcuin van York (735-804), 'n geleerde vriend van Karel die Grote. Die raaisel,
ook met ander kombinasies van passasiers – soos 'n wolf in plaas van 'n tier –
word o.m. in Italiaanse, Roemeense, Russiese en Afro-Amerikaanse folklore-
versamelings aangetref, vlg. prof. Marcia Ascher, 'n Amerikaanse wiskundige.
[Ek het dit kleintyd by my pa in die Klein-Karoo gehoor. Waarskynlik het hy by "tier"
aan 'n luiperd gedink, want in die Suid-Afrikaanse volksmond het die luiperd (Panthera
pardus), inheems aan Afrika en Asië, vroeër jare bekend gestaan as "tier". LR]

Jakkals die skelm

Jakkals en Wolf was nou nie regtig maats nie, nee, maar hulle kon ook nie wegbly van mekaar nie. Wolf was altyd 'n bietjie stadiger en dommer as Jakkals en Jakkals het baiekeer vir Wolf 'n poets gebak.

Op 'n somerdag sit Jakkals luilekker onder 'n noemnoemboom en daar kom Wolf so op 'n skuins draffie verby. Jakkals sien Wolf se pens is dun. "Haitsa, ou Wolfie, wanneer het jy laas 'n stukkie skaapvleis geëet?" roep Jakkals en lag onderlangs.

"Weke laas," kla Wolf en slaan met sy voorpote teen sy maer ribbes.

Jakkals lê lekker agteroor en vou sy voorpote onder sy kop in. "Ek het 'n plan, 'n bielie van 'n plan, jy kan maar sê 'n blinkvet plan," spog hy.

"Plan waarvoor?" vra Wolf op sy dommerige manier en dop sy oë wit om.

"Wolfie-Kedolfie," sê Jakkals en sy stem word glad en glibberig. "In die muur van Boer se skaapkraal is 'n gat. Nie baie groot nie, maar ek kan daardeur en jy kan daardeur. Wat sê jy, vannag nes die sekelmaantjie agter die wolke ingly, glip ons deur die gat en ons vang elkeen vir ons 'n vetstertskaap."

En dis net wat hulle doen. Sjoeps, sjoeps, deur die gat en elkeen vang sy skaap. Jakkals eet versigtig. Na elke paar happe sluip hy weg en gaan meet of hy nog deur die gat buitentoe kan glip. Maar Wolf eet net. Sy maag staan later bol. En boller. En bolste.

Na 'n rukkie glip Jakkals stilletjies deur die gat buitentoe. Wolf kom dit nie eens agter nie. Sy oë is toe, so lekker is die vet skaapvleis vir hom.

Jakkals staan al doer teen die rant agter Boer se huis. "Boe-oer!" roep hy met 'n hoë stemmetjie. "Wolf is in jou kraal. Hy het 'n skaap gevang!"

Boer spring uit sy bed. Hy gryp sy sambok en hardloop skaapkraal toe. Toe hy by die hek instorm, skrik arme Wolf hom boeglam. "Hoeps-oeps-û-ûûû!" kreun en steun Wolf soos hy met sy dikke pens deur die gat probeer kom. "Oerg-woerggg-harggg!" Maar hy sit vas. Hy kan nie vorentoe of agter-toe nie. En Boer raps hom heeltyd van agter met sy sambok.

"Jou vraatsige dierasie!" raas Boer. Swiep, swiep, swiep! "Is dit jy wat my skape so steel? Jou sal ek 'n les leer!"

Met 'n "ja-ha-aaau!" ruk Wolf hom los en daar trek hy teen die rant uit. Iewers, ver weg, hoor hy iemand lag, iemand met 'n hoë, dun stemmetjie. En Wolf weet presies wie dit is. Jakkals het hom al weer 'n poets gebak. Hy het hom al weer gekierang! Gefop! 'n Streep getrek!

Afrikaans. Reinaard die vos, die hoofkarakter in Van den vos Reinaerde *wat in die dertiende eeu in Middelnederlands nuut gedig is (deels volgens die Franse Renart-epos), het in Suid-Afrika gou "Jakkals" geword in ons Jakkals en Wolf-stories. Ons het net een ware vos in Suid-Afrika, die silwervos, en geen ware wolf (Canis lupus) nie, maar in landelike omgewings staan veral die bruin hiëna of strandjut(wolf) ook as "wolf" bekend. (Dink aan die Wolfbergskeure op pad Wolweboog toe in die Cederberg-kontrei.) Daarom laat Fiona Moodie, illustreerder van die bundel, vir Wolf sy lyf by die hiëna leen.*

Die kat en die mossie

Eendag vang 'n kat 'n mossie en klap hom onder sy kloue vas op die grond. "Mmm," brom die kat en gryns dat sy snorbaarde wip. "Voëltjievleis is net wat ek soek."

Die mossie beef so groot soos hy is.

"Meneer Kat," sê hy so tussen die koue rillings deur, "wag tog net so 'n bietjie. Het u geweet dat die grote keiser se deftige kat homself altyd eers was vóór hy begin eet?"

Genade, dink die kat, ek is tog enige dag so deftig soos die keiser se kat. As hy hom kan was voor ete, dan ek ook.

Hy lig sy pote van die mossie en begin sy gesig te was.

Met 'n flierts en 'n fladder vlieg die mossie tot in 'n plataanboom en koggel van daar bo af: "Lekker uitgevang, ou kater-petater!"

Die kat weet nie waar om sy kop weg te steek nie. Dat so 'n klein ou mossietjie hom nou so 'n streep getrek het!

Daar en dan besluit die kat dat hy hom nooit weer voor ete sal was nie,

eers ná die ete! En dit doen alle katte vandag nog. Pootjie-lek, gesiggie-was, maar eers ná die ete!

Van daardie tyd af sê die mense ook: Mossie maar man! wanneer iemand wat klein is, groot dinge regkry, of dapper is.

Vlaams. In die Khoi-verhaal "Hoe Reier vir Jakkals uitoorlê het" moet Reier ook net so blitsvinnig 'n plan beraam om homself uit 'n roofdier se kake te red.

EK WENS, EK WENS, EK WENS

JARE GELEDE WAS DAAR 'N MAN wie se werk dit was om heeldag hout te kap in 'n bos. Die houtkapper het dan die hout verkoop en met die geld kos en klere vir hom en sy vrou gekoop. Dit was harde werk. En hy het maar min geld vir die hout gekry.

Op 'n dag sit die houtkapper sy byl neer en vryf sy seer rug. "Ek wens, ek wens," sê hy vir homself, "ek wens ek kry 'n gelukkie sodat ek nie meer elke dag so hard hoef te werk nie." Hy gaan sit op 'n stomp en haal 'n stukkie droë brood en 'n waterfles uit sy rugsak.

Net toe die houtkapper sy eerste stukkie brood wil hap, hoor hy die droë blare in die bospaadjie ritsel, en 'n ou-ou man met 'n wye swart jas vol silwer sterretjies kom aangestap.

"Goeiedag, flukse houtkapper," groet die vreemde man, "het jy nie dalk vir 'n ou man 'n stukkie brood en 'n slukkie water nie?"

Die houtkapper breek sy enigste stukkie brood in twee en deel dit met die vreemde man en laat hom eerste uit die waterfles drink.

"Baie dankie hiervoor," sê die ou man met die swart-en-silwer jas. "Nou wil ek jou ook iets gee. Jy kry drie wense. Gaan huis toe, en wat jy wens, sal jy kry."

Net daarna dwarrel 'n wind deur die droë blare . . . en weg is die vreemde man met die swart-en-silwer jas.

Die houtkapper gryp sy byl en hardloop huis toe. "Vrou," skree hy al van ver af, "ons kan drie wense wens en hulle sal waar word. Ons dae van swaarkry is verby!"

Die vroutjie dans van blydskap. "Man," sê sy, "kom sit nou hier by die tafel, dan dink ons mooi wat ons alles kan wens. Hier's solank 'n stukkie brood en 'n bietjie koffie vir jou."

Die houtkapper kou gretig aan die stukkie brood, want hy is honger. En sonder om te dink, sug hy: "Ai, ek wens ek had nou 'n lekker stuk bruin gebraaide wors by die brood!"

Sowaar! Sommerso uit die lug uit val 'n lang stuk bruin gebraaide wors op die tafel voor die man.

"Ag, domme man," kla die vrou. "Wat het jy nou gedoen? Jy kon die wonderlikste dinge gewens het en nou sit jy met 'n stuk wors!"

"Ek het nie gedink nie," sê die houtkapper, self baie spyt. Maar die vrou wil nie ophou raas en kla nie. Die houtkapper word later so kwaad, hy sê: "Ek wens sommer die wors gaan sit aan jou neus vas!"

O tog! Dis presies wat gebeur. Daar hang die stuk wors aan die punt van die vrou se neus.

Die houtkapper en sy vrou skrik hulle eers skoon stom. Toe begin die vrou te huil, sy raas, sy kla, sy slaan op die tafel, terwyl die wors heen en weer, heen en weer aan haar neus swaai. Haar man kyk haar so en hy dink: Daar is nog net een wens oor. Watter heerlike dinge kon ek nie gewens het nie – 'n paleis van 'n huis of sakke vol goud of 'n koningskroon op my kop. 'n Koning, dis wat ek kon gewees het. Maar wat sal dit help om in 'n paleis te woon en my arme vrou loop rond met 'n kroon op haar kop en 'n wors wat aan haar neus swaai!

Hoe die man en die vrou ook ruk en pluk aan die wors, hy sit waar hy sit.

Toe sê die man: "Ek wens . . . ek wens . . . ek-wens-die-wors-val-van-jou-neus-af!"

Plaks! val die wors op die tafel.

"Ag toemaar," sê die houtkapper vir sy vrou, "ons het darem nog vir mekaar." Hy gee haar 'n drukkie, vat sy byl en loop terug bos toe om hout te kap.

Frans. 'n Sprokie van Charles Perrault, die bekende sprokieversamelaar.
In die oorspronklike verhaal is dit Jupiter wat aan die houtkapper verskyn.

Luie Hasie Kalbassie

Daar was eenmaal 'n groot droogte in die land en Koning Leeu roep toe al die diere bymekaar en sê hulle moet 'n watergat kom grawe. Olifant kom grawe in die sand van die rivier, maar nee, geen water nie. Renoster kom grawe, maar nee, die sand bly droog. Al die diere kom help grawe, net Hasie nie. Hy lê teen 'n botterboomstam, pootjies oorkruis, min gepla. "Ek help niks," sê hy, "die dou is my water, ek het julle ou water nie nodig nie."

Skilpad kom ook aangekruie. "Laat my grawe," sê hy. "Ek het mos baie geduld." Die groot diere lag hom uit, maar Skilpad steur hom nie. Stadig maar seker grawe hy. En sowaar, na 'n lang tyd syfer die eerste water uit die riviersand. Die gat word stadig voller en voller en al die diere kom drink. Almal behalwe Hasie, dié word weggejaag, want hy wou mos nie help nie, sê Koning Leeu.

Daardie nag hou Bobbejaan wag by die water, want almal weet Hasie sal in die nag kom drink. En daar kom hy ook. Kedoem-doem-doem, slaan hy, glad nie bang nie, met 'n stokkie op sy twee kalbassies. Een leeg, een vol heuning.

"Skoert, skededdel, weg is jy!" keer Bobbejaan hom.

Maar Hasie sê: "Ag wat, ek het baie beter water as julle ou modderwater. My water is heuningsoet," en hy laat Bobbejaan proe aan die stokkie wat hy eers in die heuningkalbassie steek.

"Hmmm," sê Bobbejaan en klap met sy lippe. "Hmmm, gee nog, gee nog."

Hasie sê: "Nee wag, jy gaan al my soet water uitdrink. Ek bind jou eers vas, dan gee ek self die water vir jou."

Maar toe Bobbejaan vasgebind is, lag Hasie uit sy keel en gaan maak die leë kalbassie vol uit die watergat. En daar hol hy.

Die volgende oggend sien die diere Bobbejaan sit vasgebind. "O, dis Hasie se werk!" sê hulle. En so gaan dit elke nag met al die diere wat moet wag hou. Hasie bind hulle vas sodat hy hulle kamtig van sy soet heuningwater kan gee en dan drink hy hom trommeldik uit hulle watergat.

Toe sê Skilpad: "Ek sal Hasie Kalbassie vir julle vang." Die ander diere lag hom weer uit, maar Skilpad smeer sy dop vol taai swart pik en gaan lê stil-letjies in die vlak water waar Hasie kom drink.

En kedoem-doem-doem, daar kom Hasie met sy twee kalbassies aan. Lek-ker! dink hy, vanaand is daar niemand wat wag hou nie. En hy plerts in die water rond en begin sy leë kalbassie volmaak. Toe hy byna klaar is, trap hy op 'n groot swart klip – en daar sit sy poot vas. "Haitsa!" skrik hy en sien toe dis Skilpad. "Jy wil my vashou, nè?" en hy klap Skilpad met sy ander voorpoot. Daar sit dié ook vas. "Jy hou jou sterk, nè?" sê Hasie, en skop Skilpad met sy een agterpoot. "Wag maar," sê Hasie toe dié poot ook vassit. "Nou sal ek jou skop dat jy doer trek." Wap! Daar sit sy ander agterpoot ook vas. "Maar ek het nog my stert!" skree Hasie hees. En hy swiep sy stert teen Skilpad se dop vas. Toe sit hy geheel en al vas.

Skilpad krabbel stadig uit die water met Hasie Kalbassie op sy rug. Reguit

na Koning Leeu toe. Hasie ruk en pluk aan Skilpad se dop dat dit eintlik sulke knoppe maak, maar hy sit waar hy sit.

Nou moet Hasie straf kry, want hy het die diere se water gesteel. "Ag, moenie my slaan nie," sê Hasie, "swaai my liewer aan my stert rond, al in die rondte tot ek flou is."

Bobbejaan moet die swaaiwerk doen. Hy gryp Hasie aan sy stert en hy swaai hom rondomtalie, rondomtalie. Tot Hasie se stert morsaf breek en Bobbejaan net met die stertpuntjie staan. Doer ver flits Hasie al soos 'n skaduweetjie tussen die kapokbossies deur.

Toe Hasie by sy huis kom, sê sy vrou: "Hoe lyk jou stert so vertoiing?"

"Ek het sommer bietjie met die kinders rondbaljaar," jok Hasie, want hy skaam hom oor sy stompstert. En Hasie sit vandag nog graag op sy stert sodat niemand kan sien watter ou stomp kwassie hy het nie.

Khoi. Die G. R. von Wielligh-optekening is hier as basis gebruik. In 'n weergawe van Alice Werner ('n versamelaar van Afrika-verhale) vra die haas om met groen piesangboomvesel vasgebind te word — net sodat hy later kan losruk wanneer die vesel droog en bros is. Die haas in Afrika het baie name, o.m. Mutlanyana (Sesotho), Kalulu (Nyanya), Sungura (Swahili).

Kook, Potjie, kook!

In 'n klein dorpie teen 'n heuwelhang vol dennebome het 'n vrou en haar dogter Veertjie gewoon. Hulle huisie was bra bouvallig, die dak het gelek, en hul enigste rykdom was 'n klompie henne. Elke dag loop Veertjie die neste na en maak die eiers bymekaar. Wanneer sy 'n mandjie vol het, gaan verkoop sy hulle in die dorp. Van die geld koop sy growwe meel, melk en 'n bietjie groente. Haar ma gaan ook elke dag brame en ander bessies in die woud soek en so bly hulle aan die lewe.

Eendag is Veertjie se ma siek en sy moet self gaan brame pluk in die woud. Sy soek en pluk, soek en pluk. Toe sy moeg word, gaan sit sy onder 'n boom en haal 'n snytjie growwe brood uit haar sak om te eet.

Skielik val die son helder deur die blare, en sommerso van nêrens nie staan daar 'n bedelares voor haar met 'n swart potjie in haar een hand. "Ag, kind," sê die vrou, "hoe lus kry ek nou vir 'n happie growwe brood. Kan ek nie maar 'n stukkie daarvan kry nie?"

Veertjie dink nie eens nie. Sy hou die hele snytjie brood uit na die vrou.

"Eet maar alles," sê sy vriendelik, want die vrou lyk werklik honger.

"My liewe goeie kind," sê die vrou toe sy klaar is, "nou moet jy ook iets kry. Vat hierdie potjie. Sit hom op die vuur en sê: Kook, Potjie, kook. Dadelik sal hy vir jou die heerlikste pap begin kook. As daar genoeg pap is, sê jy net weer: Genoeg, Potjie, genoeg."

Veertjie knip nog haar oë teen die son, toe is die vrou reeds weg. "Mamma!" roep Veertjie toe sy by die huis kom. "Vanaand eet ons soveel pap as ons wil." Sy sit die pot op die vuur en sy sê: "Kook, Potjie, kook!" Daar borrel en prut dit in die pot, en toe dit byna vol pap is, sê Veertjie: "Genoeg, Potjie, genoeg!" en hulle eet die romerige pap saam met 'n bietjie melk en 'n lepeltjie heuning.

Die volgende dag moet Veertjie dorp toe om 'n mandjie eiers te gaan verkoop. Sy sukkel tot die namiddag laat om die eiers almal verkoop te kry en toe moet sy nog eers 'n emmertjie melk, twee aartappels en 'n ui gaan koop.

Intussen raak haar ma baie honger. Die dag word baie, baie lank en Veertjie kom nie. Die ma kyk die swart potjie op en af. Sy kyk hom sus en sy kyk hom so. En sy dink: Maar ek weet mos wat om te doen. "Kook, Potjie, kook!" sê sy.

En die potjie borrel en prut en ploep, ploep, begin die pap te kook. Toe die ma weer sien, glip die pap bo-oor die rand van die potjie en begin plerts op die vloer. "Stop! Stop!" skree die ma, maar die potjie kook net voort. Die pap stroom soos 'n dik wit rivier oor die vloer, oor die drumpel en uit by die deur. "Hou op, Pot! Hou op!" skree die ma benoud. "Hou op, hou op!" Maar o aarde, die pap stroom al met die straat langs, dit dam op teen die ander huise, dit word 'n sagte, pruttende berg van pap.

Net toe kom Veertjie uitasem aangehardloop. Sy weet dadelik wat gebeur het. "Genoeg, Potjie, genóég!" roep sy hard en duidelik. En dadelik hou die potjie op met kook. Maar in die straat kan niemand verbykom nie, die yslike berg pap keer hulle voor.

Wat doen die mense toe? Hulle bring emmers en balies en bakke en bekers en skep pap vir al wat hulle werd is. Daardie aand eet die hele dorp pap. Pap sonder suiker, pap met suiker, pap met heuning, pap met stroop. Pap met melk, pap sonder melk, pap met 'n halfduimpie wors daarby.

"Ja-a-a, my kind," sê Veertjie se ma met 'n skaam laggie toe sy en Veertjie agterna die kombuisvloer skoon skrop, "mens moet nooit iets begin wat jy nie weet hoe om te stop nie."

Tsjeggies/Duits. Ook deur die Grimm-broers opgeteken. Stories waarin slegs die ware eienaar 'n towerpotjie of towermeule kan beheer, is oor die wêreld bekend. Die groot Duitse skrywer en digter Goethe het 'n gedig geskryf ("Der Zauberlehrling") waarin 'n lui leerlingtowenaar 'n besem stuur om water by die put te gaan haal. Die huis word oorstroom, want die leerjonge kan nie die towerwoord onthou om die besem te stop nie.

Boontjie, Strooitjie en Kooltjie Vuur

In toeka se tyd was daar drie vreemde maats: Boontjie, Strooitjie en Kooltjie Vuur. Boontjie was 'n kort, dik outjie wat altyd lag, Strooitjie was lank en dun, en Kooltjie Vuur het altyd rooiwarm gegloei.

Op 'n dag toe die wolke wegtrek ná 'n reënbui, sê Strooitjie, wat die langste was en ver kon sien: "Daar oorkant sien ek 'n veldjie vol gras en blomme. Net 'n lekker speelplek vir ons."

"Top!" sê Boontjie en "Reg so!" sê Kooltjie Vuur. Daar stap die drie. "Tralie-ie, tra-la!" sing hulle vrolik maar 'n bietjie vals.

Hulle kom by 'n stroompie oor die pad. "Hoe gaan ons hier oorkom?" vra Kooltjie Vuur bekommerd.

"Maklik," lag Boontjie. "Strooitjie, jy's mos lekker lank. Gaan lê jy nou dwarsoor die stroompie, dan loop ek en Kooltjie Vuur versigtig oor jou tot anderkant en dan wip jy sommer self oor."

"Ek lê al klaar," sê Strooitjie en maak met sy dun strooilyf 'n brug dwarsoor die stroompie.

"Hiep! Hier kom ek," sê Boontjie en een, twee, drie, stap hy oor Strooitjie en daar spring hy af aan die ander kant van die stroompie.

"Nou Kooltjie Vuur," sê Boontjie en gaan sit om te kyk.

Kooltjie Vuur spring ook ewe kordaat op Strooitjie se rug en begin oorstap. Maar o toggie, Kooltjie Vuur is nou eenmaal vuurwarm! Strooitjie slaan aan die brand en knak onder die water in weg. "Ssswoesj," sis Kooltjie Vuur toe hy die water tref. Gou is Kooltjie net 'n stukkie houtskool en as wat in die stroompie wegsink.

En wat maak Boontjie, die lawwe kalant? Hy lê agteroor soos hy lag, hy hou sy maag vas, hy skree soos hy lag, want die hele petalje is vir hom tog te snaaks. Boontjie lag so dat sy pensvelletjie tjierts! oopbars en 'n vriendelike kleremaker die skeurtjie met gare en 'n lappie moet toemaak.

Van toe af het boontjies 'n swart lappie reg in die middel van hul mae.

Vlaams/Nederlands/Fries. So het Boontjie sy loontjie gekry – d.w.s., sy straf – omdat hy vir sy arme maats gelag het. Deur die Grimm-broers opgeteken, maar kom reeds in die sewentiende eeu voor in 'n werk van die Vlaming Jan Vos.

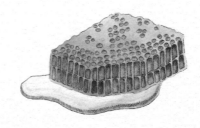

Soete rietjie

In 'n land met baie berge en heuwels was daar eentyd min kos omdat dit nie wou reën nie. Die mielies was verpiep en kon nie groei nie, die koeie het nie melk gehad nie. Die mense was honger. En die winters was bitter koud.

In 'n klein dorpie tussen heuwels vol droë geel gras het 'n man gewoon wat graag gaan jag het met sy spies. Nie 'n slegte man nie. Maar 'n suinige man. Bring hy 'n bok huis toe, hou die man al die vleis vir homself en gee niks vir sy bure rondom hom nie. Die kinders loer met honger oë na sy kospot maar kry niks nie.

Op 'n dag gaan einste Suinige Man weer veld toe en hy kry 'n heuningnes bo teen 'n krans. Hy haal die blink, vet heuningkoeke uit, sit hulle in 'n kleipot, sit die deksel op die pot en gaan begrawe dit stilletjies agter sy huis. Maar hy sorg dat hy 'n rietjie deur 'n gat in die deksel steek. Die rietjie kom net-net bo die grond uit.

Daardie aand roep Suinige Man al die kinders bymekaar wat altyd na sy kospot loer. "Oe, dalk gaan ons iets lekkers kry," sing en juig die kinders.

Maar Suinige Man sê net: "Kom saam, kom sing vir my 'n lied daar agter my huis terwyl ek die lastige miere wegblaas."

Toe hulle agter die huis kom, sê hy: "Ons speel 'n speletjie. Ek blaas die miere weg, en julle moet vir my sing:

"Soete rietjie
 hoor my liedjie
 wag 'n bietjie
 mier-verdrietjie."

Snaakse deurmekaar liedjie, dink die kinders, maar hulle sing, want dis pret. Suinige Man kniel op die grond, druk sy mond teen die rietjie en suig die soet heuning uit die pot onder die grond. Maar hy maak of hy miere wegblaas.

Op 'n dag gaan Suinige Man weer veld toe. Die kinders maak groot oë en sê saggies vir mekaar: "Kom ons gaan kyk kamma of Suinige Man al die miere weggeblaas het."

"Wag 'n bietjie," sê die oudste dogtertjie, "sing julle die liedjie, dan kyk ek wat daar in die grond weggesteek is." En hulle sing:

"Soete rietjie
 hoor my liedjie
 wag 'n bietjie
 mier-verdrietjie."

Die oudste dogtertjie kniel en daar sien sy die rietjie wat bo die grond uitsteek. Sy begin suig daaraan – "fffp, fffp" – en die heerlikste koel heuning kom daaruit. Lekere! Lekere!

"Ons wil ook, ons wil ook!" skree al die kinders. En hulle kry elkeen een lang, diep suigie. Toe gaan roep hulle hul ma's. Die ma's kom aangehardloop met potte. Hulle grawe die groot pot met die heuning uit en elke ma kry sewe skeppe heuning in haar pot. Daardie aand kry al die kinders heuning oor hul bietjie pap.

Kort na donker kom Suinige Man by die lig van die volmaan terug. Hy sluip om sy huis, hy gaan kniel by die rietjie en begin suig. Ha! Dis dan pure water wat daar uitkom! Die slimme ma's het mooi die pot vol water gemaak en hom weer net so op dieselfde plek begrawe.

"Wag 'n bietjie, wag 'n bietjie," sê die man wat suinig was maar nie sleg nie. En hy begin te dink. Hy krap agter sy oor. Hy vryf oor sy kop. Hy trek aan sy baard. Hy dink aan die kinders se honger gesiggies. En stadigaan verstaan hy: Dis omdat hy so suinig was en vir niemand van sy heuning wou gee nie, dat dit van hom weggevat is.

Toe weet die man wat om te doen as hy weer 'n stukkie vleis het, of 'n bietjie heuning.

Sotho. Om wat jy het met ander te deel, is een van die oudste en mooiste tradisies onder Afrika-volke – en sekerlik ook elders in die wêreld waar mense omgee vir mekaar.

KRAAI, KRAAI, JY'S SO FRAAI

'n Jakkals draf op 'n dag snoet teen die wind tussen 'n klompie olien-houtbome deur teen die hang van 'n berg. Dis winter, dis koud en reënerig en die jakkals se maag is leeg.

Daar sien sy skerp oë 'n groot swart voël met 'n wit bors in een van die olienhoutbome sit. Dis Kraai, en wat het hy in sy snawel? 'n Lekker vet stuk goudgeel kaas!

Jakkals steek net daar vierpoot vas. "Umm," kreun hy saggies, "o daardie kaas! Ryk en lekker! Wanneer het ek laas kaas geëet? Jakkalasie," praat hy sag-gies met homself, "vandag moet jy slimmer as slim wees."

Hy gaan sit onder Kraai se boom en steek sy swart snoet in die lug. "Fraai Kraai," begin hy met 'n gawe stemmetjie, "jy is darem maar 'n pragstuk van 'n voël. Sulke blinkswart vere, so 'n spierwitte bors, en wat 'n sterk snawel!"

Van bo uit die olienhoutboom kyk Kraai sonder 'n woord na hom, die stuk kaas styf in sy snawel. Maar Kraai hou van wat Jakkals sê. Sy oë blink van plesier.

Jakkals skuif op die klam grond rond. "Aai, Kraai," begin hy weer. "Ek het gehoor dat jy so wonderlik kan sing. Hulle sê jy sing mooier as die bokmakierie of die bergkanarie of die singvalkie. Jy weet, ek wil nog my hele lewe lank hoor hoe jy 'Aai, aai, die witborskraai' sing."

Kraai draai sy kop skuins so lekker kry hy.

"Toe tog, Kraai," smeek Jakkals, "net die een liedjie. Ek sal jou ewig dankbaar wees."

Kraai kan dit nie langer uithou nie. Hy moet eenvoudig sing met hierdie wonderlike stem van hom. Hy rek sy groot snawel oop: "Aai, aai, die wit-" kras hy met sy kraaiste stem, en natuurlik val die stuk geel kaas uit sy snawel op die grond. Soos blits is Jakkals by, hy raap dit op en hol weg so vinnig as hy kan. Sonder om sy mond oop te maak, mompel hy tussen die kaas en sy tande deur: "Ja, Kraailawaai, dit kom daarvan as jy sommer enigiemand se mooi woorde glo."

Frans – 'n fabel van La Fontaine, hier op Suid-Afrikaanse grond. Fabels, waarin diere soos mense praat, het gewoonlik 'n les te leer aan die leser.

DIE GROOT LEEU EN
DIE KLEIN MUISIE

Op 'n baie warm somerdag lê 'n leeu onder 'n kameeldoringboom en slaap. Rondom hom zirrr die sonbesies in die takke en vlieë vroetel lastig om sy neus, maar die leeu slaap voort.

Kortby die kameeldoringboom staan 'n blinkblaar-wag-'n-bietjie, en onder die bos is 'n muistonnel. 'n Veldmuis kruip suutjies uit die tonnel om saadjies te gaan soek. Die son skyn so skerp in haar oë dat sy bo-oor die leeu se voorpote skarrel sonder om te sien dis die koning van die diere. Die muis se kriewelpootjies kielie die leeu wakker, en wlap! klap hy sy linkervoorpoot op die muisie vas. "Het jou!" brul hy vies. "Vir wat kyk jy nie waar jy loop nie!" Die arme veldmuis kyk reg in die leeu se flitsende tande vas en haar hart klop woep-woep-woep.

"Ag, asseblief tog, spaar my lewe," piep die muis. "Ek het kindertjies daar in die tonnel onder die grond en ek moet vir hulle sorg. Eendag help ek weer vir jou!"

"Joerrrg!" lag die leeu dat die kranse antwoord gee. "Jy is 'n piepklein

muis. Hoe sal jy nou kamtig eendag vir my kan help? Ek is die koning van die diere!" Maar hy lig darem sy swaar poot van die muisie af. "Toe, hamba! En kyk waar jy loop."

Die muis trek haar seer lyfie reg en glip weg deur die gras.

Nie so lank hierna nie, dit was 'n grys winterdag, is die muis-ma weer op soek na saadjies in 'n kol digte bome. Van ver af hoor sy 'n vreeslike gebrul. Dit kan net die koning van die diere wees, dink sy en haar snorbaarde wil-wil bewe. Maar sy is nuuskierig en skarrel nader tussen die takkies en blare deur.

So waar as baobabblaar! Daar lê die leeu en spartel om los te kom uit 'n net wat iemand gespan het om wildsbokkies te vang.

Sonder om 'n woordjie te piep, begin die muis deur die toue van die net knaag. Knabber, knabber, knaag sy die een tou na die ander af. Die leeu sien dis dieselfde veldmuisie wie se lewe hy gespaar het. Hy hou op spartel en bly doodstil lê met sy twee groot geel oë op die muis gerig.

Toe die muis genoeg toue deurgeknaag het vir 'n groot gat, wikkel die leeu hom los uit die net. Hy skud sy ruie maanhare en brul 'n koningsbrul. Die muis bewe van banggeid. Maar die leeu kom lê voor haar, vou sy pote oormekaar en sê so saggies as wat 'n leeustem kan praat: "Dankie, Muis. Nou sien ek klein en swak outjies kan groot en sterk ouens ook help! Jy is 'n muis met 'n leeuehart."

'n Fabel van Esopus, hier in 'n Afrika-omgewing. Esopus, so word daar gemeen, was 'n slaaf wat in die sesde eeu v.C. in Griekeland geleef het.

WAAROM HIËNA 'N HINKSTAPPIE HET

Op 'n dag lê Hiëna en Jakkals en gesels in die skaduwee van 'n kameeldoringboom. Hiëna se swaar kop met die sterk kake rus op sy voorpote. Jakkals se spits snoet lê ook op sy voorpote. 'n Swerm windswaels swiep bo hul koppe verby en Jakkals kyk op in die lug.

"Arrie nee," sê hy, "Hiëna my broer, sien jy daardie yslike spierwit krullerige wolk? Dit is niks anders as die heerlikste bolle skaapvet nie. My mond water. Ek bring vir jou 'n stukkie saam." En daar klim Jakkals poot vir poot in die blou lug op tot by die wit wolk, want in daardie tye kon diere nog allerhande wonderbaarlike dinge doen.

Jakkals eet hom trommeldik aan die vet. Sy snor blink, sy hele snoet blink, die vet drup met sy nek langs.

Nou moet hy af grond toe. Dis bietjie moeiliker as boontoe.

"Hiëna my broer," roep Jakkals. "Staan nou net so dat jy my kan vang met die springslag. Ek bring vir jou 'n groot stuk vet saam!"

Hiëna staan gehoorsaam op en gaan staan reg om Jakkals te vang. Woep!

Hiëna se groot lyf keer dat Jakkals hom disnis val. Maar waar is die stukkie vet dan?

"Ag, klipsalmanderkoringkriek tog," kla Jakkals, kamtig baie spyt. "Skoon vergeet van jou stukkie vet."

Hiëna sug. "Nou dan sal ek maar self moet klim." En net soos Jakkals klim hy poot vir poot op in die blou lug. Hy gaan lê op die wolk van vet en eet en eet. Toe sy pens nou balievol is, roep hy ondertoe vir Jakkals: "My broer met die swart streep op die rug, nou moet jy weer vir my vang!"

"Ek's reg vir jou!" roep Jakkals terug en hou kamtig sy voorpote uit.

Maar net toe Hiëna byna op die grond is, spring Jakkals opsy. "Ai tog, ai tog," skree hy, "'n doring in my voet, einááá!" En arme Hiëna val met 'n plof op die harde grond en sy rug kry baie seer.

Dis waarom Hiëna nou nog met so 'n hinkstappie loop nes iemand met 'n lam rug. Party mense sê sy linkeragterpoot is ook korter as die regter. Alles Jakkals se skuld.

Khoi. W. H. I. Bleek het kosbare werk gedoen toe hy, ook saam met sy skoonsuster Lucy Lloyd, vroeë Khoisan-verhale in die oorspronklike taal opgeteken het uit die mond van vertellers. Die woord "kamtig" (kamma) kom uit Khoi.

DIE MOOI MEISIE . . .
SONDER TANDJIES

DAAR WAS EENDAG 'N MAN MET DRIE SEUNS wat tussen die berge nie alte ver nie van die groot Fundudzi-meer gewoon het. Die drie seuns was al uitgegroeide manne, en saans wanneer die mis oor die berge trek en mens nie meer die loerie hoor roep in die digte bome nie, het elkeen van die broers soms gewens hy het 'n mooi, flukse vrou wat lekker kos maak en mooi potte bak en saans om die vuur nog mooier stories vertel. "Aai," sug hulle dan.

Die pa weet al hierdie dinge. Op 'n dag vat hy sy kierie en loop af in die vallei om 'n vrou vir die oudste seun te gaan soek. Hy ontmoet daardie dag 'n mooi, flukse jong meisie wie se oë altyd lag.

"My seun," sê hy die aand vir die oudste broer, "vat nou môre vyf van ons beste beeste, gaan gee hulle vir die meisie se pa en vra of jy haar kan saamvat om met jou te trou."

Die oudste seun gaan maak so. En die meisie se pa sê vir haar: "Ja, gaan saam met hom. Julle twee mag trou."

Die meisie kyk die vreemde jong man eers stil aan, maar loop rustig agter

hom aan in die voetpaadjie. Net die lag in haar oë is weg. Toe hulle by die stroompie in die berg kom waar die klipbokkies kom water drink, begin sy skielik sing:

"Ek is mooi,
ja, dis waar,
maar sonder tandjies
lyk ek alte naar."

"Wat!" roep die oudste seun uit. Hy draai om na die meisie. "Maak oop jou mond dat ek kan sien," sê hy angstig. Sy doen dit, en sowaar, daar is net 'n swart randjie in haar mond waar haar tande moet wees.

"Ons draai net hier om," sê die oudste broer. "Gaan terug na jou pa toe. 'n Vrou sonder tande wil ek nie hê nie." En hy gaan vat die vyf beeste terug.

Toe die oudste broer by die huis kom met die beeste en vertel wat gebeur het, sê die tweede oudste broer: "Ag, my pa, laat my tog môre gaan kyk of dit waar is." En die volgende dag jaag hy die vyf beste beeste aan na die mooi meisie sonder tande se woonplek.

Ja, sê die meisie se pa, hy mag maar met haar trou. Die meisie kyk die tweede oudste broer eers stil aan, maar loop ewe rustig agter hom aan in die voetpaadjie. Net die lag in haar oë is weg. Toe hulle by die stroompie in die berg kom waar die klipbokkies kom water drink, begin sy sing:

"Ek is mooi,
ja, dis waar,
maar sonder tandjies
lyk ek alte naar."

"Wat!" roep die tweede oudste broer uit. "Maak oop jou mond dat ek kan sien." En sowaar, daar is net 'n swart randjie in haar mond waar haar tande moet wees.

"Ons draai net hier om," sê die tweede oudste broer. "Gaan terug na jou pa toe. 'n Vrou sonder tande wil ek nie hê nie." En hy gaan vat die vyf beeste terug.

Toe die jongste broer die storie hoor, sê hy: "Ag, my pa, laat my tog ook gaan kyk na hierdie meisie sonder tande." En die volgende môre baie vroeg loop hy af in die mistige vallei met die vyf beste beeste wie se warm asems wolkies maak in die koue.

Vir die pa van die mooi meisie sonder tandjies sê hy dat hy graag met sy dogter wil trou. "Hier is vyf van ons beste beeste." Die ou man knik net sonder woorde. Die meisie sê ook niks nie, maar haar donker oë lag weer soos vroeër.

Ewe rustig loop sy agter die jongste broer aan, wat kort-kort omkyk of sy nie dalk moeg is nie. Toe hulle by die stroompie in die berg kom waar die klip-bokkies kom drink, begin die meisie sing:

"Ek is mooi,
  ja, dis waar,
   maar sonder tandjies
   lyk ek alte naar."

"Hai!" sê die jongste broer en skud sy kop. "Ek glo dit nie. Maak bietjie jou mond oop." Die meisie doen dit en sowaar, daar's net 'n swart randjie waar haar tande moet wees.

"Wag, wag 'n bietjie," sê die jongste broer. Hy gaan haal 'n hand vol fyn nat sand uit die stroompie en skuur die meisie se mond saggies uit daarmee.

En wat lê onder die swart lagie? Die mooiste, blinkste, spierwit tande!

Die jongste broer spring in die lug van blydskap en die meisie lag dat elke pêreltand in haar mond wys. By die huis wil niemand hom glo dat die meisie wel tande het nie. Sy hou haar mond styf toe, maar haar oë lag heeltyd. Toe kom die pa van die drie seuns na haar toe waar sy uitrus in die ma se hut. "Ek sal vir jou 'n hele skaap gee, bruid van môre," sê die pa, "as jy jou mond sal oopmaak sodat ek kan sien of jy werklik tande het."

Toe kan die meisie dit nie meer hou nie. Sy lag kliphard met wye, oop mond. Die ou man staan verstom oor haar mooie tande.

"Knap gedaan, my seun," sê hy vir die jongste broer, "jy het 'n mooi, flukse bruid met pragtige tande!" Die ander twee broers vat hul knopkieries en loop sommer veld-in, so skaam is hulle. Die mense begin die bierpotte regkry en die tromme roep die gaste oor berg en dal na die bruilofsfees.

Venda. Die Venda is bekend vir hul storieskat. En net suid van Venda regeer daar 'n lewende legende: Modjadji die reënkoningin, heerseres van die Lobedu. Elke nuwe koningin moet die reënmaaktradisie voortsit. Haar koninklike woonplek is omring van beskermde broodbome wat dateer uit die tyd toe dinosourusse die aarde bewandel het. Dié broodboom-spesie dra die naam Modjadji.

HOE HOND BY MENS KOM WOON HET

HOND HET LANK NIE ALTYD by Mens gewoon nie. In die ou-ou dae was Hond en Jakkals mekaar se beste vriende en hulle het in die veld gewoon en onder bosse of in klipskeure geslaap.

Hond en Jakkals het ook altyd saam gejag. Een nag nadat hulle die hele dag niks gevang het nie en met honger mae moes gaan slaap, skuif Hond nader aan Jakkals se rug. "My broertjie Jakkals," sê Hond, "hoor hoe rammel en grom my maag. Ek is so honger ek kan 'n leeu verskeur."

"Hie-hie," lag Jakkals. "Dit wil ek nog sien. Daar's niks te doen nie, ou maat, jy moet maar jou maag vashou en wag tot dit lig word, dan probeer ons weer."

Hond kreun en sug, kreun en sug en rol rond. Slaap kan hy nie. Hy skud sy ore, skrop na 'n vlooi. Hy probeer sterre tel, maar hy kom nie verder as een, twee, drie, nie – dan dink hy al weer aan sy leë maag.

"Broertjie Jakkals," probeer Hond weer. "Jy weet tog daar bo teen die heuwels, by die baie palmbome en die kassawe-plantasies, daar het Mens vir hom 'n huis gebou. Ek het al gesien daar brand saans 'n vuurtjie by die huis.

Mens sit saans by die vuurtjie, en Mens se vrou, dit het ek ook al gesien as ek stilletjies snags daar verbydraf, sit en maak matte met mooi patrone. En partykeer eet hulle patats, o, dit ruik so soet, en vleis op die kole gebraai, mens ruik dit van ver af. Sê nou maar ons kan soontoe gaan en . . ."

"Ag siejy, stil tog, Hond-wat-kla," snou Jakkals. "Ek gaan nêrens heen nie. Ek wil slaap. Gaan jy maar en kom vertel vir my." Jakkals gee 'n snork en vou sy bossiestert oor sy oë.

Hond sit regop, verlate en alleen onder die sterre en die maan, so voel dit vir hom. Hy mis iets in sy lewe, dit weet hy.

Toe skud hy homself, lig sy stert soos 'n hond wat weet waarheen hy gaan en sit af deur die donker bosse na Mens se huis toe. Van ver af sien hy die vuurtjie, en hy sien vir Mens en sy vrou, en hy ruik gebraaide vleis!

Net toe hy om die huis gesnuffel kom, begin Mens se hoenders te kekkel en kraai van skrik. Mens kom by die deur uitgestorm oor die lawaai en wil sommer vir Hond bykom met 'n stok. Want Hond was mos in daardie tyd 'n wilde dier.

"Ag, asseblief tog," smeek Hond, "laat ek net 'n bietjie by jou vuur kom lê. Ek is bitter honger en koud." En Mens sien, waarlik, Hond bewe en hy kan Hond se ribbes tel, so maer is hy.

Mens sê: "Nja, wel, kom dan maar. Maar net tot jy warm is, hoor, dan is dit weer bosse toe met jou."

Hond gaan lê so naby aan die vuur as wat hy kan. O, dis so salig warm. En toe sien hy boonop 'n groot afgeëte been lê wat Mens sommer op die grond neergegooi het, en hy begin knaag daaraan. Dis mos die lewe!

Mens vra later: "Nou toe, is jy nou al warm genoeg?"

Hond kyk verskrik op. "Nee, nog lank nie," antwoord hy.

'n Rukkie later vra Mens weer: "En toe, is jy nou al goed warm?"

Hond hou sy kop laag. "Nee, nog lank nie," sê hy.

Nog 'n rukkie later sê Mens kwaai: "Nee toe, jy moet nou klaarkry. Jy kan nie die hele nag hier slaap nie."

Toe kyk Hond se blinkbruin oë op in Mens se twee donker oë en hy sê: "Ag, asseblief tog! Kan ek nie maar hier bly en snags by die vuur lê nie? Ek belowe jou, ek sal nie jou hoenders vang nie, ek sal jou snags waarsku as hier diewe rondloop, ek sal jou kinders oppas, ek sal jou kassawe- en patatlande bewaak, ek sal jou help spoorsny as jy gaan jag. Ek sal enigiets doen, as ek net hier by jou mag woon en af en toe 'n stukkie vleis kan kry."

Mens sien Hond se oë is eerlike oë, en Mens se hart word sag. Hy steek sy hand uit en vee oor Hond se kop en hy sê: "Nou toe dan maar . . ."

Hond slaak 'n lang sug van geluk en krul hom op 'n bondel by Mens se vuur.

Baie nagte daarna het Jakkals nog ver uit die veld geroep: "Broertjie Hond, my broertjie Hond, ek mis jou. Kom jag weer saam met my! Boe-hoeee," huil hy dan teen die maan. Soos hy nou nog snags doen. Maar Hond sug net lank en tevrede en skuif nader aan Mens en die vuur. Soos hy nou nog graag doen.

Kongolees. 'n Verhaal van die Bushongo/Bakuba-stam.

Hoe Reier vir Jakkals uitoorlê het

Jakkals loop eendag snuffel-snuffel deur die veld op soek na 'n kossie. Dis 'n koue winteroggend en 'n skraal windjie waai sy hare plat teen sy lyf.

"Koer-koerrr, koer-koerrr," hoor Jakkals mevrou Duif uit 'n kareeboom sing. En net daar kry hy 'n plan.

"Haai daar, mevrou Duif," roep hy boontoe. "Hoeveel duifkuikens is daar in jou nes?"

"Rrroeke-roek-roekkk!" Mevrou Duif verloor skoon haar wysie, so groot skrik sy. "Net tweetjies," fluister sy.

"Nou luister nou mooi," sê Jakkals, "ek is vreeslik honger, dis so koud my snoet voel soos ys, en jy sit lekker warm daar bo in jou nes. Gooi dan een van daardie kleintjies vir my af vir 'n oggendkossie."

Mevrou Duif flap haar vlerke en vou hulle oor haar twee kuikentjies. "Nog nooit," sê sy. "Vergeet daarvan."

"O, maar dan klim ek nou op die daad in die kareeboom op en kom vreet julle sommer al drie op," antwoord Jakkals en maak hom kamtig reg om te klim.

Mevrou Duif skrik so groot, sy gooi toe maar een van die kleintjies af. "Ja, en môre kom ek die ander kleintjie haal," dreig Jakkals met die wegdraf.

Mevrou Duif begin huil, so treurig soos net 'n duif op 'n winteroggend in 'n kareeboom kan kla.

Op daardie oomblik kom Reier verbygevlieg. Hy hoor die gehuil en kom sit op 'n tak van die karee. "Ag nee, hoekom huil jy so, mevrou Duif?" vra hy.

En mevrou Duif vertel vir Reier dat Jakkals môre in die boom gaan opklim en haar ander kleintjie ook gaan opvreet.

"Arrie nee, hoe dom tog," lag Reier. "Julle duiwe glo ook alles. Van wanneer af kan Jakkals miskien klim? Hy is mos nie 'n klouterdier nie!"

Mevrou Duif is getroos, want op Reier se woord kan jy staatmaak.

Toe Jakkals die volgende oggend op sy snuffeldraffie aankom, druk mevrou Duif haar kleintjie styf vas onder haar vlerke en roep ewe dapper uit die kareeboom: "Liegbek, ek weet hoeka jy kan nie in die boom opklim nie. Reier het my tog gesê!"

Jakkals was bitter boos vir Reier, want nou sou hy nie weer vir mevrou Duif kon fop nie.

'n Paar dae later kry Jakkals vir Reier by 'n dammetjie in die veld. En Jakkals dink: Ha! Vandag neem ek wraak op die klikbek. Hy gaan sit ewe langs Reier wat op 'n klip aan die kant van die dam staan en paddas dophou. "Hm, jy staan hier lekker en warm kry in die sonnetjie, nè?" sê Jakkals geselserig. "Maar sê nou dit begin skielik reën uit die noorde uit?"

"Ek draai maar net my rug noordekant toe," sê Reier, en wys hoe hy maak.

"En sê nou die reën kom uit die suide?" vra Jakkals.

"O, ek draai maar net my rug suidekant toe," sê Reier, en wys hoe hy maak.

"En sê nou die reën kom uit die ooste?" vra Jakkals.

"Ag, ek draai maar net my rug oostekant toe," sê Reier, en wys hoe hy maak.

"En sê nou die reën kom uit die weste?" vra Jakkals.

"Dan draai ek maar net my rug westekant toe," sê Reier, en wys hoe hy maak.

"Hmm," sê Jakkals. "Slim. Maar sê my, wat sal jy nou maak as die reën reg van bo op jou kop val, hm, Reier?" en hy staan bietjie nader.

"Geen probleem nie," lag Reier. "Ek druk maar net my kop styf onder my vlerk in," en hy wys vir Jakkals hoe hy maak.

Soos blits spring Jakkals bo-op Reier en gryp hom aan sy vlerk. "Het jou!" skree hy. "'n Bielie van 'n middagete!" en hy maak klaar om Reier te eet.

Maar Reier sê: "Wag 'n bietjie, Jakkals. Hoe's jy dan so ongeskik? Waar's jou maniere? 'n Ordentlike dier vou mos eers sy pote en sê 'n paar dankie-woorde voor hy eet."

Jakkals hou nie daarvan dat Reier dink hy is ongeskik en sonder maniere nie. Hy prop Reier onder sy blad in, toe vou hy sy voorpote saam en maak sy oë toe om dankie te sê. Dis net daardie slag dat Reier losspartel en skeef-skeef wegvlieg. Gered uit Jakkals se kake.

Khoi. In 'n ander vertelling (Penny Miller, in Myths and Legends of Southern Africa *) trap Jakkals Reier se kop uiteindelik vas – en dit is glo waar die kinkel in die reier se nek vandaan kom. Hier bo is die weergawe van G. R. von Wielligh as basis gebruik. Die woord "hoeka" kom uit Nama.*

Meneer-van-'n-Meneer

'n Flukse meisie gaan eendag werk soek. Sy kom by 'n klein, hoë huisie met 'n spits rietdak. Op die stoep van die huis sit 'n wit-en-swart speelgoedhond wat nie blaf nie en nie byt nie en net kop knik. Op en af. Op en af.

Ag, hoe oulik, dink die meisie en klop aan die voordeur.

Kirrrts, kraak die deur oop en 'n snaakse ou mannetjie met 'n lang wit baard en 'n blou-en-groen strepiesbroek sê: "Goeiemôre, Voorskootjie-sonder-Bandjies!"

Hie-gie-gie, giggel die meisie en sê sy soek werk.

"O, hier is baie werk, Voorskootjie-sonder-Bandjies," sê die ou mannetjie. "Afstof en uitvee, kos kook en skottelgoed was."

"Gaaf," sê die meisie, "maar my naam is Tina, T-i-n-a, nie Voorskootjie-sonder-Bandjies nie."

"Liewe kind, jy moet nog baie leer," sê die witbaardmannetjie. "Hier by my het alles ander name. Hoe sal jy my noem?"

"Seker maar meneer of oom," sê Tina.

"O nee, ek is Meneer-van-'n-Meneer," antwoord hy.

"Goed, Meneer-van-'n-Meneer," sê Tina en lag agter haar hand.

"En hoe sal jy dit noem?" vra Meneer-van-'n-Meneer en wys na sy groot wit bed.

"Ag, seker maar bed of kooi," sê Tina.

"O nee, jy moet dit noem: Wit-soos-Melk-Volstruiseierdop. En hoe sal jy dit noem?" vra hy en wys na sy blou-en-groen strepiesbroek.

"Ag, seker maar langbroek of strepiesbroek."

"O nee," sê Meneer-van-'n-Meneer, "dis Potloodstreep-en-Fluitjiesriet."

Nou lag die meisie sommer kliphard.

"En hoe sal jy dit noem?" vra die mannetjie en wys na sy kat wat op 'n mat voor die kaggel lê.

"Wel, seker maar kat of kietsie," sê die meisie.

"O nee, sy is Witgesig-Snorbaard-Kniepootjies. En hoe sal jy dit noem?" vra hy weer en wys na die vuur in die kaggel.

"Wel, seker maar vuur of vlam," sê die meisie.

"O nee, dit is Sjoe-Sjoe-Snikheet-Hanekammetjie," sê Meneer-van-'n-Meneer. "En hoe sal jy hiervoor sê?" en hy wys na die water in 'n emmer.

"Wel, seker maar water of vloeistof," sê die meisie.

"O nee, dit is Wolkedruppels-wat-Poeletjies-Maak," sê die ou mannetjie. "Wat sal jy dit noem?" en hy wys na die hele huis.

"Wel, seker maar huis of woning," sê die meisie.

"O nee," antwoord Meneer-van-'n-Meneer. "Jy moet dit Hoogste-Berg-spits-van-Almal noem."

Drie dae daarna word Tina die nag wakker omdat sy rook ruik. Sy hardloop die trap af en skrik groot toe sy sien wat aangaan. Sy storm na die witbaardmannetjie se kamer en roep: "Meneer-van-'n-Meneer, staan gou op uit jou Wit-soos-Melk-Volstruiseierdop en trek vir Potloodstreep-en-Fluitjiesriet aan, want Witgesig-Snorbaard-Kniepootjies het met haar stert 'n bloedrooi veertjie van Sjoe-Sjoe-Snikheet-Hanekammetjie opgevee en as jy nie nou dadelik vir Wolkedruppels-wat-Poeletjies-Maak gaan haal nie, sal die hele Hoogste-Bergspits-van-Almal nou-nou 'n Sjoe-Sjoe-Snikheet-Hanekammetjie wees!"

Toe spring die witbaardmannetjie uit sy groot spierwit bed, hy pluk sy blou-en-groen gestreepte broek aan, hy gryp 'n emmer water en gooi dit op sy kat se stert om die vlammetjie te blus sodat die hele hoë wit huisie nie vol vlamme staan en afbrand nie. Byna-byna was hy te laat – omdat die boodskap so vol lang woorde was!

En hy sê vir die meisie: "Toe, Tinatjie, gaan slaap nou maar weer in jou bed. Die water het die vuur geblus, die kat se stert het net bietjie geskroei en ons huis staan nog." Hy vat-vat so aan sy baardjie en toe sê hy: "Lyk my die kortste woord is tog maar die beste!"

In talle variasies bekend, o.m. in Vlaams, Duits en Engels.

Waarom Jakkals 'n swart streep op sy rug het

In die ou-ou tyd het die son glo partykeer hier onder op die aarde gebly. Ja, sommerso tussen die mense en diere. En dan het die son nes 'n mens gelyk, so het die ou-ou mense altyd vertel.

Op 'n dag draf Jakkals deur die veld op soek na eetgoed. Daar sien hy 'n fraaie meisietjie in die skaduwee van 'n kameeldoring sit. Sy is geel en gloei soos goud en om haar kop is 'n skitterende stralekrans.

Jakkals besluit dadelik om haar na sy huis te neem. Hy wil by die ander jakkalse spog met die sonstraalkind. "Hoekom sit jy so alleen daar, mooie kind?" vra Jakkals.

"Ek is moeg, ek rus 'n bietjie," antwoord sy. "Netnou moet ek weer daar bo in die lug wees en my strale oor die aarde gooi."

"Kom saam met my, jy kan op my rug ry," nooi Jakkals.

Maar die meisie skud haar kop dat die goue strale uitwaaier oor die veld.

"Ag toe," smeek Jakkals. "Dan brand jou voete nie so op die warm sand nie."

Toe klim die sonstraalmeisie op Jakkals se rug en hy draf met haar deur die veld.

Baie gou begin Jakkals se rug te brand, aitsa, eina, sjoe! "Klim af, klim af," skree Jakkals en dans rond van die seer. Maar die meisie bly sit.

"Klim af, klim af, ek wil gaan water drink," smeek Jakkals weer. Maar die meisie bly sit.

"Klim af, klim af, my rug brand soos vuur!" pleit Jakkals. Maar die meisie bly sit.

"Ek is 'n sonkind," sê sy. "Ek sit waar ek sit, en waar ek sit, skroei die son die wêreld."

Jakkals rittel en dans. Hy begin hardloop soos nog nooit tevore nie. Hy hol tot by 'n waterpoel en plons daarin om die vuurbrand op sy rug te blus. Maar die sonkind bly sit. Haar helder lag weerklink oor die veld.

Toe storm Jakkals deur die water na 'n uitgedroogde boomstomp en hy skuur en skuur met sy rug teen die stomp totdat die sonkind afval.

Daarna hardloop Jakkals éérs vinnig! Hy hol oor die vlakte. "Tjaau, tjaau," huil hy van die brandpyn. Al op sy rug langs loop 'n donker streep waar die sonkind hom gebrand het. En daardie streep, al op sy maanhaar langs, sal Jakkals vir altyd hou.

Khoisan. In verskillende vorms onder albei groepe bekend. Hier meer spesifiek 'n verhaal van die Nama en Damara, volgens Sigrid Schmidt in Märchen aus Namibia. *Die vroeë mense was uiters afhanklik van die son vir lig en hitte. Die son was iets magies vir hulle, so ook die maan en die sterre. Hulle het dié verskynsels met ontstaansmites probeer verklaar, soos in die bekoorlike San-verhaal waarin vertel word hoe die Melkweg ontstaan het uit kole en as wat 'n jong meisie in die lug opgegooi het.*

Huisie! My huisie!

Jakkals het vir hom 'n groot gat in die grond gemaak onder 'n wilde-rosyntjiebos. Hierdie huis van hom was koel in die somer en lekker warm in die winter.

Op 'n somerdag gaan Jakkals 'n bietjie jag. Terwyl hy weg is, kom twee jong leeus daar verby. Hulle tonge hang uit. Hulle is moeg en warm en baie honger. "Kom ons rus bietjie hier in Jakkals se huis," sê die een. "Dalk kom hy hier aan met 'n lekker stuk vleis, dan gaps ons dit vir ons."

En die twee jong leeutjies wikkel hulle in Jakkals se huis in.

Nie te lank nie of Jakkals kom aangedraf met 'n haas wat hy gevang het. "Wfff, wfff," snuif Jakkals snoet in die wind. "Daar's iemand wat nie na jakkals ruik nie by my huis." En hy maak 'n plan om uit te vind wie dit is, want Jakkals het 'n kop vol plannetjies.

"Huisie! My huisie! Antwoord my!" skree Jakkals skielik kliphard.

Niemand antwoord nie. Die leeus lê doodstil in Jakkals se huis.

"Huisie! My huisie! Antwoord my!" roep Jakkals weer.

Doodstil in die huisie.

Toe roep Jakkals ekstra hard: "Maar wat is dit vandag met my huisie dat hy nie gorrie-garrie-gats! sê as ek hom roep nie? Ander dae sê hy altyd dadelik: gorrie-garrie-gats, en dan weet ek alles is veilig."

Daar roep een van die jong leeus: "Gorrie-garrie-gats!" En toe wéét Jakkals daar is iemand in sy huisie. Hy hol so vinnig as hy kan veld-in met sy haas wat hy wil gaan braai. En so ver as hy hardloop, lag hy vir die twee dom leeus. Want waar het jy nou al gehoor dat 'n huis kan praat!

Nama

DIE VOËLTJIE WAT AMASI KON MAAK

Eentyd toe dit baie droog was en die mense min kos gehad het, het 'n vrou 'n stukkie grond gaan skoffel en al die onkruid en dorings uitgetrek sodat die grond reg is vir plant as die eerste reëns kom.

Maar toe die vrou die volgende oggend by die landjie kom, is die grond weer vol onkruid en dorings. Toe skoffel sy maar weer. Terwyl sy so werk, hoor sy twie-ieee, twie-ieee, in 'n boom agter haar. Daar sit 'n voëltjie wat sy nog nooit gesien het nie. En die voëltjie sê: "Hierdie grond was my pa s'n. Dis nou myne. Jy kan skoffel net soveel jy wil, die onkruid en die dorings sal terugkom." En twie-ieee, twie-ieee, daar vlieg hy weg.

Die volgende oggend toe die vrou op die landjie kom, staan dit weer vol onkruid en dorings. Sy hardloop huis toe en gaan roep haar man. "Man," sê sy, "daar's 'n voël wat elke nag onkruid en dorings op ons mielieland laat groei. Kom kyk!"

Die man hardloop saam met die vrou. Toe hulle by die landjie kom, hoor hulle twie-ieee, twie-ieee, en die voëltjie praat uit die boom: "Hierdie grond was my pa s'n. Dis nou myne. Jy kan skoffel net soveel jy wil, die onkruid en die dorings sal terugkom."

Die man word baie kwaad, hy skud die boom se takke en die voëltjie val grond toe.

Die man gryp hom voor hy kan wegvlieg. "Moenie my seermaak nie," smeek die voëltjie. "Ek sal sorg dat julle altyd amasi in die huis het. Lekker romerige dikmelk."

Die man dink: Ai, amasi! Hoe sal die kinders nie hulle mae vol kan eet aan die dikmelk nie. "Goed," sê hy vir die voëltjie, "jy kry nog 'n kans." Hy vat die voëltjie huis toe en sit hom stilletjies in 'n groot bruin kleipot met 'n deksel. En toe sing die man baie, baie saggies: "Amasi, amasi, ek gee jou nog 'n kansie." Die voëltjie fladder onder die deksel, en toe die man dit oplig, is die pot vol dikmelk.

Daardie aand eet die man en die vrou en hulle twee kinders almal dikmelk om die vuur. Hulle eet en eet en hulle mae word vol. Vir die kinders sê die man: "Onthou net, hierdie groot pot se deksel mag nooit af nie. Net ek mag dit afhaal."

So is daar toe elke dag genoeg melkkos in die huis en die kinders word mooi rond en vet. "Maar waar kom die dikmelk vandaan? Ons koeie het dan nie melk nie," sê die seuntjie vir sy sussie toe hulle eendag alleen by die huis is.

Sy sussie sê: "Ons pa sing altyd saggies by die groot bruin pot in die aand."

"Wat sing hy?" vra haar boetie.

Die sustertjie maak haar oë groot, sy sit haar handjies om haar gesig en sy fluister teen haar boetie se oor: "Amasi, amasi, ek gee jou nog 'n kansie."

En die boetie maak sy oë ook groot en hy vat sy sussie aan die hand en hulle loop suutjies, baie suutjies, na die groot bruin kleipot waaruit die dikmelk saans kom.

Die seuntjie lig die deksel van die pot . . . en waarlik, daar sit 'n voëltjie binne-in. Toe vat die seuntjie weer sy sussie se hand en saam-saam sing hulle: "Amasi, amasi, ek gee jou nog 'n kansie." Skielik is die pot tjokvol heerlike dikmelk. Die kinders eet en eet, hulle eet baie bakkies vol romerige amasi. Hulle eet so lekker dat hulle vergeet om die deksel weer op die pot te sit. Daar vlieg die dikmelkvoëltjie uit – twie-ieee, twie-ieee – en fladder by die deur uit. Op in die blou lug en weg.

Daardie aand is die groot bruin kleipot dolleeg. Geen voëltjie nie. Geen amasi nie. Oe, oe, oe, die pa was kwaad! En die kinders was baie, baie spyt dat hulle die kleipot se deksel afgehaal het.

Zulu/Xhosa. In 'n weergawe van die Barolong ('n Tswana-stam) vlug
die twee kinders weg saam met die buurkinders wat ook van die dikmelk geëet
het, en word dan deur 'n wondervoël gered van 'n mensvreter. Die voël beveel die
stamhoof om matte te laat oopsprei sodat die kinders met blydskap ontvang kan
word. Daarna besorg die voël die skelm dikmelk-etertjies terug by hul mense.

DIE SONKINDERS

IN DIE OU DAE WAS HEISEB DIE GROOT EEN onder die mense van die vroeë tyd. As die mense iets wou hê, het hulle vir Heiseb gaan vra, al was hy ook soms vol streke. Die ou mense vertel in die voortyd was dit net Volstruis wat vuur gehad het. Sy het dit onder haar vlerk gebêre, maar Heiseb het dit reggekry om die vuur te steel en dit vir die mense te bring. O, Heiseb was nie van hier nie! Hy kon hom selfs in 'n dier verander as hy wou, so vertel die ou mense. Hy kon elke keer anders lyk as hy wou.

Nou, in daardie tyd het die son nog nie bo in die lug gesit nie. Hy was onder op die aarde tussen die mense. En die sonbesies wat mens nou nog op warm somerdae hoor tjirp, was die son se kinders. Hulle was die son se klein musikante wat met hul vlerkmusiek die mense aangelok het son toe.

Maar wanneer die mense dan agter die sonkinders se musiek aan al nader en nader aan die son kom, brand die son in hul oë en hulle word blind.

Die mense wou die son nie meer onder op die aarde hê nie. Dis toe dat hulle by Heiseb gaan kla, want hy kon mos die wonderlikste dinge doen.

Op 'n snikwarm middag toe die sonbesies in die doringbome tjirp dat mens en dier se ore tuit, sluip Heiseb al nader en nader asof hy ook aangelok word deur die sonbesie-musiek. Al nader aan die son. Maar heeltyd knyp hy sy oë styf toe. Later brand die son se gloed op sy lyf en hy voel sy vel begin skroei. Hy weet hy is nou baie naby aan die son. Toe gryp Heiseb die son met al twee arms vas en slinger hom boontoe met een blitsige swaaislag van sy arms. Hoog, hoog, en nog hoër . . .

Die son tol en tol, 'n brandende bal, tot hy tot rus kom daar hoog bo, reg in die middel van die blou lug, en toe stadig, stadig begin afgly na die einde van die dag toe.

Maar die son se kinders, die sonbesies, het onder op die aarde agtergebly, en somertyd wanneer die son op sy hittigste is, tril hulle vlerkmusiek in mens en dier se ore.

Nama/Damara. Heiseb is ook bekend as Heitsi-Eibib. In 'n optekening deur W. H. I. Bleek en Lucy Lloyd was die son ook eers soos 'n mens op die aarde, en al die hitte het uit sy een kieliebak gestraal as hy sy arm lig! Die kinders gooi toe die son hoog in die lug op. Daarna was die son rond en nie meer 'n mens soos vroeër nie.

Reën en Vuur

Reën en Vuur het eenkeer gestry oor wie die sterkste is. "O," het Reën met haar waterige, silwerige stem gespog, "ek kan soveel water op die aarde laat val dat die riviere oorstroom en hele huise van mense wegspoel."

"Ag," het Vuur met 'n rokerige, heserige stem geantwoord, "dis nog niks. Ek kan bosse en bome en huise afbrand sodat daar net swart as oorbly."

Toe sê Reën: "Jy hou jou verniet so sterk. Ek blus jou vlammetjies sommer gou-gou. Teen water het hulle geen krag nie."

Vuur sê: "Ag, jou waterstroompies brand ek gou-gou droog."

"Nou kom laat ons sien," sê Reën. En sy jaag al die swaarste wolke bymekaar. Nie lank nie toe val die eerste groot druppels.

Vuur gaan sit in die lang gras op 'n droë kameeldoringstomp en gou-gou lek die eerste vlammetjies aan die hout.

Toe kom Wind verby. Hy kyk vir Vuur en hy kyk vir Reën en hy sê: "Ek sal julle al twee help. Ek waai die reëndruppels uit die wolke en ek blaas die vlamme aan. Dan kan julle eens en vir altyd sien wie van julle twee is die sterkste."

Reën laat stroom die water oor die veld, maar Vuur lek die water net so gou weer op en droog die veld uit.

'n Wyse ou skilpad wat tot bo-op 'n miershoop gedryf het, sê: "In water kan jy darem nog swem en wegkom, maar teen Vuur kan jy niks doen nie. Vuur brand jou morsdood."

Reën laat sak haar kop en sê: "Ja, so is dit." En sy gaan ver bo die wolke wegkruip.

"Ja, so is dit dan," sê Wind en waai homself ver weg van Vuur.

"Ek het mos gesê ek is die sterkste," knetter Vuur, maar roep darem gou sy vlamme terug voor hulle vir Skilpad kan skroei.

Damara. Verhale oor wie die sterkste is, is die wêreld oor bekend. In een van Esopus se fabels word vertel hoe die son en die noordewind gewedywer het oor wie sterk genoeg is om 'n man se jas van sy lyf te kry. Die wind waai toe stormsterk en die son skroei neer. Wie was die sterkste? Die son, want die man het so allervreesliks warm gekry dat hy sy jas móés uittrek.

Pampoentjie–meloentjie, kom gee my 'n soentjie!

In 'n eenvoudige huisie, en moedersielalleen, het daar eens 'n ou vroutjie digby 'n woud gewoon. Almal het haar Outante genoem. Sy was skraal soos 'n riet, rats op haar voete en flink by die werk.

Op 'n dag kom 'n boodskapper met 'n brief by haar aan. In die brief staan: *Liewe Outante, ek trou vandag oor 'n maand en hiermee nooi ek jou hartlik uit na my troue. Van jou liefhebbende peetkind, Manuela.*

Nou, Outante was baie lief vir dié Manuela-peetdogter van haar. Sy het dadelik aan 'n tafeldoek begin borduur en die fynste sakdoekies gemaak om vir Manuela te neem op haar troudag.

Presies 'n maand daarna trek Outante haar deftigste rok aan en knoop haar rose-sjaal van sy onder haar ken vas, sy vat haar mandjie met die tafeldoek en die kantsakdoekies en 'n botteltjie goeie donkerrooi port en sy begin voetslaan deur die woud. Manuela se troue was in 'n klein dorpie net anderkant die woud.

Outante loop nog so ingedagte, toe steek 'n wolf sy kop om 'n boom en sê:

"Aha, dié ou tantetjie vreet ek sommer sjoep-sjoep op!"

Outante skrik dat sy hik, maar sy hou kop. "Wolfie," sê sy kalm, "kyk hoe maer is ek, jy kan sê net vel en been. Maar ek's op pad na 'n troue met tafels vol kos. Wag nou bietjie tot ek weer verbykom, dan is ek trommeldik van al die lekker kos. Dan smaak ek soveel lekkerder."

"Nou ja-a, toe dan maar," sê die wolf met 'n brom en 'n grom. "Sien jou later, oue mater."

Die troue is toe 'n vrolike affêre, die bruid se sluier is van die kosbaarste kant en die tafels staan bak onder al die kos. Outante eet so lekker, sy vergeet skoon van die wolf in die woud.

Maar toe dit tyd word om huis toe te gaan, begin sy skielik in haar sakdoekie snik. Manuela sien dit. "Wat is dit dan, Outante?" vra sy besorg.

"Ag kind, daar's 'n wolf in die bos en hy gaan my opvreet as ek daar verbykom."

Manuela frons. Toe lag sy: "Toemaar, Outante, ons gaan die wolf lekker uitoorlê."

Sy laat haal 'n yslike oranjerooi pampoen uit haar pa se tuin. Sy sny die stingelkant soos 'n deksel af en hol die pitte uit die pampoen. "Spring, Outantetjie," sê sy toe, en Outante spring in met haar ratse, maer beentjies. Manuela gom die deksel vas en gee die pampoen 'n ligte stampie. Daar rol hy, wieliewalie, rondomtalie, reg in die woudpaadjie af. En binne-in die pampoen giggel en sing Outante soos laas toe sy 'n kind was:

"Pampoen-meloen, ek rol en rol,
 bollemakiesie die wêreld vol.
 Oor die stroompies, oor die klippe –
 Wolf, jy lek verniet jou lippe!"

Daar loer die wolf om 'n boom. Is dit dan nie die ou vroutjie se stem nie?

En "Pampoentjie-meloentjie, kom gee my 'n soentjie!" sing die wolf so vals soos 'n kraai en probeer die pampoen voorkeer.

Maar met 'n hop en 'n half tref die pampoen die wolf vol op sy snoet, en hy vlug ore in die nek tussen die bome in weg.

Wieliewalie, rondomtalie, daar rol die pampoen met Outante daarin – reguit huis toe.

Kort duskant die voordeur hop-hop die pampoen tot stilstand. Die deksel vlieg af met die laaste hopslag en Outante spring uit, rats op haar voete, net bietjie duiselig van al die bollemakiesies. "Pampoentjie-meloentjie," sê sy, "nou het ek boonop kos vir 'n hele halwe winter: pampoensop, pampoenbredie, pampoenpastei . . . en pampoenkoek met baie kaneel!"

Portugees. In die oorspronklike storie is die bruilofsgas die bruid se eie ma, maar in die oorvertelling hier bo is Outante met haar ratse, maer beentjies hopelik 'n lewendiger en avontuurliker pampoenpassasier.

Hy wat Leeu is, Broer Beer en Broer Konyn

Hulle sê dat Leeu lank, lank gelede altyd vroemôre opgestaan het, hom uitgerek het en allervreesliks "Ek en ekself! Net ek en ekself!" gebrul het dat elke voëltjie en klein diertjie in die bos begin bewe. Dan het die diere in gate en agter rotse gaan skuil, so bang was hulle vir Leeu. Hulle snorbaarde het gebewe en hulle was almal te bang om uit te gaan om kos te soek.

Op 'n dag terwyl Leeu weer so brul: "Ek en ekself! Net ek en ekself!" kom die kleiner diere stilletjies bymekaar en hulle vra vir Broer Beer en vir Broer Konyn wat hulle moet maak.

Want sien, Broer Beer en Broer Konyn het hoeka al die wêreld vol geboemel en alles en nog wat gesien.

Daar en dan pak Broer Beer en Broer Konyn vir hulle padkos in en gaan soek Leeu se grot bo teen die berg. Op pad kry hulle 'n briljante plan.

Hulle is nog ver toe weergalm dit weer: "Ek en ekself! Net ek en ekself!" dat die grond eintlik bewe onder hulle pote.

By die grot hou Broer Beer en Broer Konyn hulle lywe skraal en bly liewer buite staan, al brand die son ook op hul koppe.

"Ja, en wat soek julle twee rondlopers?" brul Leeu en rig sy kwaai geel oë op hulle.

"Kyk," begin Broer Beer versigtig, "kan jy nie ophou met die gebrul nie? Die arme kleiner diere se senuwees is almal gedaan."

"Ha, ek is die koning van die bos en ek brul nes ek wil."

"Aua," kla Konyn, "jy maak ons ore seer. En hoor hier, as jy vir Mens gesien het, sal jy weet hý is die koning van die bos en nie jy nie."

"Mens?" vra Leeu en spits sy ore. "Wie's dit? Toe, vertel, julle twee loop mos die wêreld vol."

Broer Beer en Broer Konyn kyk vinnig na mekaar. Toe sê Broer Konyn: "Wel, kom saam met ons onder na die vlakte toe. Ons sal hom vir jou gaan wys."

Leeu dink en dink. Kop op die pote. Die halwe dag om. Toe staan hy op en brul: "Ek en ekself! Ek en ekself!" en hy draf al agter Broer Beer en Broer Konyn aan.

Daar onder op die vlakte, onder 'n skaduboom, sit 'n seuntjie van so sewe jaar en speel. "Is dit nou Mens?" vra Leeu en wil sommer lag.

"Nee, dié een se naam is Sal Wees, hy is definitief nog nie Mens nie," antwoord Broer Konyn.

Toe loop hulle en hulle loop en hulle kom weer by 'n skaduboom en daar lê 'n ou-ou man van seker ver oor die negentig jaar en slaap. "Is dit nou Mens?" vra Leeu en sy snorbaarde tril soos hy wil lag.

"Nee," antwoord Broer Beer, "sy naam is Was Gewees. Jy sal sommer sien wanneer dit Mens is."

Hulle loop en hulle loop. En daar in die paadjie voor hulle kom Mens aan.

Seker so twintig jaar oud, groot en sterk, met 'n geweer oor sy skouer.

"Toe, daar's Mens nou," sê Broer Konyn vir Leeu. "Nou kan jy hom self gaan ontmoet."

Broer Konyn ruk vir Broer Beer aan sy been en trek hom eenkant toe. "Ja, hier kom 'n ding," fluister Broer Beer en buk haastig weg.

Mens sien Leeu aankom. Hy sak op sy knie, druk die geweer teen sy skouer, mik . . . en skiet. Boem!

Leeu slaan bollemakiesie en val op sy stert dat hy hik.

Weer 'n boem! en Leeu trek deur die lug en val op sy rug, tussen Broer Konyn en Broer Beer.

"Ieeee, ieeee," kla Leeu en sy stem is bra klein. "Daai Mens het 'n lang stok by hom wat van ver af slaan nes weerligstraal en donderweer. Nee, o tog, my kop is skoon dronk en my ore is toegeslaan van die donderknalle!"

"So, nou ken jy Mens en jy weet presies hoe sy stem klink," sê Broer Konyn met 'n fyne, fyne glimlaggie. En Broer Beer lag saggies, huh-huh, agter sy voorpoot.

Van daardie dag af het Leeu nooit meer soggens vroeg die bos laat bewe met "Ek en ekself! Net ek en ekself!" nie. En ás hy die slag nou tog wou brul, was dit altyd: "Ek en ekself én mens! Ek en ekself én mens!" En dan knipoog Broer Konyn en Broer Beer skelmpies vir mekaar.

Afro-Amerikaans. Hierdie verhaal herinner aan "Die wolf en die mens",
'n Grimm-sprokie waarin 'n wolf deur 'n vos begelei word om die mens te leer ken.
Soos die leeu hier bo, kom die wolf die slegste daarvan af. Die Brer Rabbit-verhale
van die konyn in die VSA en Latyns-Amerika stam grootliks uit verhale van
die haas wat deur slawe uit Afrika in die vreemde oorvertel is.

O MY MAMMA, DIS MOS VOETOOG!

BAIE, BAIE JARE SE MANE EN SONNE TERUG was daar nog vreemde wesens op aarde vir wie mens en dier bang was.

Jakkals, die slim dier, draf eendag neus op die grond tussen die haasgras deur op soek na 'n vleiskossie. "Fff, fff," snuif hy, ai, maar dis mos 'n rokie wat hy ruik. En waar 'n rokie is, is 'n vuurtjie. En waar 'n vuurtjie is, is daar dalk . . .

Sowaar, in die koelte van 'n oorhangkrans kom hy op 'n man af wat met sy rug na hom sit en vleis braai. Heerlike vleis en skaapkaiings daarby. Jakkals se maag ruk sommer, so lus kry hy. Hy is ook nie links nie en gaan sê hoflik dag.

"Ja, middag, Jakkals," groet die man sonder om op te kyk van sy vleis-braaiery. "En hoe staan die lewe met jou?"

"Nee, so-so," sug Jakkals. "Darem uitgespaar. Donkeroggend opgestaan toe die eerste leeurik hoog in die lug begin fluit. Al die hele oggend op pad en deksels honger en dors." Jakkals se oë bly net op die vleis en die krakerig gebraaide kaiings.

"Daar is water in die kalbas," sê die man. "Kry vir jou."

Ghloek, ghloek, glip die water af in Jakkals se dorstige keel. Hy sit die kalbas neer met 'n sug van lekkerte. Maar iets hinder hom. En toe kyk hy op in die man se gesig. Sowaar, o help my, die man het nie oë nie! Waar sy oë moet wees, is niks nie.

Iets is nie reg nie, dink Jakkals. Iets is hier nie reg nie. Maar hy is so lus vir die vleis . . . En die man sê ook: "Vat vir jou van die vleis en die lekker kaiings."

Jakkals, skelm wat hy is, dink: Hierdie man kan mos nie sien nie. En hy gaps die vetste vleis vir homself en skuif die maer vleis oor na die man sonder oë.

Maar o gonnabosblaar! Die man vat vinnig en sekuur die vet vleis terug vir homself en skuif die maer stuk oor na Jakkals toe.

Haai! Hoe sien hy dan sonder oë? dink Jakkals benoud.

Vir die eerste keer bekyk Jakkals die man goed, van kop . . . tot toon. Genade tog! Op elke voet van die man sit daar 'n oog wat reguit na hom toe kyk.

Voetoog! O my mamma, dis mos Voetoog! Hoe grillerig!

Maar Jakkals is 'n ou kalant, lank in die land. Soos blits gryp hy 'n hand vol sand en gooi dit in die twee voet-oë sodat die man hom nie kan sien nie. Toe gryp hy die vetste stuk vleis en laat spat oor die gruisvlak. Voetoog brul van woede en van seer en vee die sand uit sy oë en spoel hulle skoon met water uit die kalbas. Hy is kwaad, baie kwaad. Maar teen die tyd dat hy weer kan sien uit sy twee voet-oë, is Jakkals ver in die wêreld in weg met die vetste stuk vleis.

Nama/Damara. In 'n ander Voetoog-storie (Penny Miller in Myths and Legends of Southern Africa*) tree Heiseb, die vernuftige konkelaar met bonatuurlike kragte, bra wreed op toe hy gloeiende kole en as oor Voetoog (hier met oë op sy tone) se voete strooi, omdat Voetoog stilletjies probeer het om die gaar veldkos uit die as nader te krap met sy tone. Heiseb se verskoning was: hy wou kamtig net Voetoog se voete warm maak!*

DIE KLEIN BLOU SPIKKELEIER

Naby 'n groot meer, tussen baie bosse en bome, onder hoë kranse, het daar 'n man met elf seuns gewoon. Hy was 'n ryk man met baie beeste en bokke. Sy beeste was blink en vet, met lang horings. En sy bokke mooi bont en gesond.

Toe die man al baie oud was, roep hy sy elf seuns nader. Hy gee vir elke seun 'n troppie van sy blinkvet beeste en van sy mooi bont bokke. Net die jongste seun, Tau, kry geen beeste of bokke nie.

Tau se pa steek sy hand in 'n ou leersakkie wat hy om sy lyf dra en haal 'n eier uit. 'n Klein blou spikkel-eier. En hy sit dit versigtig in Tau se hand.

Tau kyk die eiertjie so en hy sê: "Baie dankie, Pa, maar wat kan ek nou met 'n eier doen?"

Sy pa vee oor sy grys baardjie. Sy donker oë vonkel toe hy na sy jongste seun kyk.

En hy sê: "Tau, my seun, hierdie eier moet jy ver weg van al die ander huise gaan wegsteek in die veld. En dis die liedjie wat jy elke dag moet sing.

"Blou spikkel-eier
   uit my pappa se hand,
   as ek vir jou sing,
   wat sal jy vir my bring?"

Tau kan nie glo wat sy pa sê nie en sy tien broers lag alte lekker vir hom. Maar Tau weet sy pa is 'n slim man. Daarom neem hy sy eier en loop ver die veld in. Daar bou hy vir hom 'n hut van gras en klei en daar gaan sing hy elke dag vir die eier.

En elke dag word die eier 'n bietjie groter!

Gou-gou was die eier te groot vir die hut en Tau rol dit onder 'n wildevye-boom in.

Daar word dit elke dag groter.

Toe word Tau so bang vir die yslike eier, hy klouter in die wildevyeboom en sing sy liedjie daar bo van die hoogste takke af. En al is hy bang, sing hy elke dag vir die eier, nes sy pa gesê het.

"Blou spikkel-eier
   uit my pappa se hand,
   as ek vir jou sing,
   wat sal jy vir my bring?"

Eendag sing Tau nog so vir die reuse-eier, toe kraak dit oop met 'n knal, en kuddes beeste met lang horings en troppe mooi bont bokke stap daaruit. Al-mal blinkvet en gesond.

Toe weet Tau sy pa het vir hom die beste present gegee.

Hy bou krale vir sy beeste en sy bokke, hy sorg goed vir hulle.

En hy trou met 'n meisie wat die beste kleipotte maak en elke aand die mooiste stories om die vuur vertel. Wanneer sy vir die kinders die storie van Tau se klein blou spikkel-eier vertel, blink Tau se oë, so gelukkig is hy.

Venda. Uit Afrika kom wonderbaarlike dinge: beeste en bokke uit 'n reuse-eier — en voëltjies wat dikmelk maak! 'n Sprokie uit Ovamboland (Namibië) vertel weer van tarentaal-eiers wat uitbroei, maar in plaas van tarentale dop daar klein mannetjies met smal voete uit, wat uitstekende skaapwagters is.

DIE WATERMENSE

IN 'N VALLEI, NABY WAAR 'N RIVIER IN DIE SEE MOND, het daar baie jare gelede 'n Xhosa-hoofman en sy mense gewoon. Tussen die riviermond en die see was 'n hoë roeserig-rooi kransmuur waarteen die branders donderend geslaan het met hoogwater. "Bly weg daar van die krans af," het die oudste ouma die kinders gewaarsku as die skemer saans oor die vallei begin kruip. "Hulle sê die watermense met hulle bleek gesigte en hulle lang haartoue soos seegras en hulle slap hande soos robvinne kom sit saans daar teen die voet van die krans, veral as dit volmaan is. En oe, oe, oe, as jy in 'n waterman se oë kyk . . . !"

Maar die hoofman se enigste dogter het niks daarvan geglo nie.

Op 'n dag toe die son die aarde vuurwarm bak, glip sy stilletjies weg van die ander meisies, want sy was maar altyd 'n alleenkind, en dwaal op die strand en die rotse rond. Sy ryg vir haar 'n snoer van skuimwit skulpe. Sy sit lank en kyk na die bleek blougroen water van Ulwandle, die see, en verbeel haar sy hoor sagte stemme wat sing en lok. Sy steek haar arms uit – ag, as sy maar soos die visse deur die seewater kon glip, wens sy. Koel sou dit wees, en lig sou sy deur die branders kantel en gly . . . So droom sy die ure om.

"Siphokazi! Siphokazi!" Dis haar ma wat roep. En "Si-pho-ka-zi! Si-pho-ka-zi!" weerklink dit op uit die vallei soos haar maats ook roep, want die skemer se kombers sak oor die wêreld. Toe sy onwillig omdraai om huis toe te gaan, sien sy in die laatlig, onder 'n vlak lagie water, drie ronde seegroen glaskraletjies in 'n rotspoel. Sy skep hulle op, sy laat hulle heen en weer in haar hand rol en hardloop huis toe om haar skat vir haar mense te gaan wys.

"Dis die watermense s'n, my kind. Hulle soek jou!" waarsku die oudste ouma, en die hoofman stamp met sy kierie op die grond en sê: "Jy bly weg van die water! Kyk, dis byna volmaan!"

Maar die volgende aand teen skemer sluip Siphokazi weer weg en gaan wag by die rotsmuur, met haar voete in die vlak water. Sy rol die glinstergroen krale in haar hand rond en skiet hulle ver oor die branders uit. Waar hulle die water tref, glip die glimmende bolyf van 'n skraal jong waterman met lang hare en hande soos robvinne bo die seevlak uit, en hy sing so mooi, so hartemooi in die soutwind, en hy lok haar, hy smeek haar om by hom te kom woon in sy grot van rooi koraal.

Siphokazi kyk in sy watergroen oë . . . en sy weet sy is verlore.

Maar "Siphokazi! Siphokazi!" roep haar mense waar die aandvure al brand, en sy skeur haar weg en hardloop huis toe.

Daardie nag steek 'n geweldige storm op oor die see, die wind huil deur die vallei, en om die vure trek die mense hul komberse stywer om die skouers. En toe hoor hulle die dowwe knalle soos iets ysliks en swaars teen die kransmuur begin stamp.

Die dapperste manne gaan kyk en kom bibberend terug uit die stormnag. "Dis die watermense," sê hulle. "Hulle het 'n reuse-vis gebring, so groot soos 'n

boomstomp, wat met sy kop 'n gat dwarsdeur die kransmuur stamp!" En die oudste ouma sê: "Dis oor Siphokazi!"

En hulle weet nie wat om te doen nie.

Voor die mense nog kan vlug, is die gat in die kransmuur so groot dat die seewater sissend en bruisend deurbars. En saam met die water stroom die watermense laggend en juigend deur land toe. Vooraan is die jong waterman. Hy kom raap Siphokazi in sy arms op en sy lag hoog en helder en hy swem met haar terug deur die gat na die dieptes van die see. Siphokazi is gelukkiger as ooit, want sy wou mos altyd soos 'n vis deur die water glip en gly.

Nou nog bars die see daar met hoogwater bruisend deur die groot gat in die rotsmuur, by die Plek van Geraas – eSikhaleni. Maar die watermense het nooit weer land toe gekom nie en die hoofman se dogter is nooit weer gesien nie. En Ulwandle – die see – bewaar die geheim.

'n Xhosa-sprokie uit die Transkei, die geboortewêreld van oudpresident Nelson Mandela, die alomgeliefde Madiba. Siphokazi beteken "geskenk".

DIE KAT WAT DIE WÊRELD
HOOR KRAAK HET

'N KAT SIT EENDAG ONDER 'N HOUTSTOEL en daar kraak iets kliphard bo sy kop. O, dink die kat, as die wêreld begin kraak, sal dit nou-nou vergaan. Ek laat spat! En daar hardloop hy.

Op pad kom hy 'n hond, 'n bok en 'n perd teë.

Toe die hond en die bok en die perd hoor die kat het die wêreld hoor kraak en dit is besig om te vergaan, storm hulle agter hom aan. Wegwêreld toe . . . voor die wêreld vergaan!

Maar die donker oorval hulle. Hulle kom by 'n digte woud en gaan staan eers stil om die wêreld te bespied. Die kat klim in 'n boom en sien 'n liggie half versteek agter die digte bome en struike. "Seker 'n huisie," sê die kat. "Ons kan daar oornag." En hulle vleg deur die boskasie tot by die huis.

"Wag, wag," keer die kat toe die ander drie voordeur toe stap. "Nie sommer dadelik klop nie, kom ons kyk eers deur die venster." Die bok klouter op die perd se rug, die hond klim op die bok se rug en die kat spring op die hond. "Ha, wolwe!" sis die kat, wat deur die venster kyk. "Langtandwolwe, en hulle

is besig om pap te kook!" sê hy vir die hond en die bok en die perd, wat al drie groot skrik.

Daar spring die slimme kat op die huis se dak, wikkel 'n dakpan los en laat dit deur die skoorsteen gly. Kaplaks! val dit in die pappot op die vuurherd dat die kokende pap die kombuis vol spat.

"Tjaau, whaau," kerm die wolwe en vlug holderstebolder uit die huis en weg.

Die kat en die hond en die bok en die perd gaan binne. Hulle eet hul trommeldik aan die pap wat nog oor is, want dit was 'n yslike pot. Toe doof hulle die vuur in die kaggel uit en gaan slaap: die kat bo-op die vuurherd, die bok voor die vuurherd, die hond onder die tafel en die perd by die agterdeur, want daar lê 'n baal voer.

So teen middernag skuifel iets by die voordeur in.

Dis een van die wolwe wat kom kyk of daar nie iets in die pappot oorgebly het nie. Toe hy vooroor buk om te lek, spring die kat orent en slaan sy kloue in die wolf se snoet. "Tjaau!" tjank die wolf en klap sy voorpote teen sy snoet.

Die bok stamp hom met haar horings teen sy boude. En die hond pak hom en byt sy stert byna middeldeur. Toe die wolf tjank-tjank deur die agterdeur probeer wegkom, skop die perd hom dat hy doer trek. Toe hy grondvat, hap hy na sy asem, spring dronkerig op en nael huil-huil bos-in tot by die ander wolwe.

"H-h-hoor hier, b-b-broers!" hyg hy al van ver af. "Aau, dis bitter seer! Dis verskriklik, sê ek julle. Daar's 'n wreedaardige klomp mense in die huis. Toe ek by die pappot op die vuurherd kom, sit daar 'n skoenmaker wat my snoet vol gate steek met sy els. En agter my was 'n smid wat my met 'n voorhamer op my boude klop. 'n Skêrslyper het my stert byna morsaf gesny, en toe ek deur die agterdeur wil glip, staan daar 'n boer wat my met 'n skopgraaf slaan dat ek soos 'n vrot vel deur die lug trek en my asem skoon uitval!"

"Broers, hier moet ons wegkom!" sê die langtandwolwe vir mekaar, en hulle hol wit-oog in die diepwoud in.

Die kat en die hond en die bok en die perd het in die huisie bly woon en nooit weer die wolwe gesien nie. En raai, die wêreld het toe ook nie vergaan nie.

Vlaams. Hierdie Vlaamse kat wat reken die wêreld is aan die vergaan, laat mens dink aan die bekende Engelse storietjie "Chicken Licken", waarin 'n akker op Chicken Licken se kop (of stert) val en sy hardloop om vir die koning te gaan sê die lug is besig om te val! Ongelukkig eindig Chicken Licken en haar klompie vriende se holderstebolder hollery in Foxy Woxy se donker tonnel onder die grond. In ander opsigte kom die Vlaamse storie egter meer ooreen met "Die stadsmusikante van Bremen" (Grimm), waarin 'n vlugtende hond, 'n donkie, 'n kat en 'n haan 'n klompie rowers die skrik op die lyf jaag en 'n veilige nuwe tuiste vind.

Prêriewolf leer 'n les

In 'n land met wye grasvlaktes woon die prêriewolf. Die prêriewolf is slim. Maar op 'n dag het 'n hoenderhaan hom op sy plek gesit.

Die haan staan een oggend sy vere en regskud in die oggendson. Swiesj, swiesj, hoor hy saggietjies agter hom in die droë gras. Hy kyk vinnig om. Aitsa, daar loer Prêriewolf agter 'n turksvybos uit met 'n grynslag vol lang, skerp tande. Haan skrik hom betjoeks.

"Goeiemôre, liewe Haan," groet Prêriewolf kamtig baie vriendelik. "Weet jy, my vriend met die mooi bont vere, ek hoor mos jy kan so pragtig sing! Ek wil jou tog so graag hoor!"

Haan skud sy rooi kam en skrop bangerig in die grond.

"Ag, asseblief, asseblief, net die een keer," hou Prêriewolf aan, want sien, hy weet 'n haan maak sy oë toe as hy sing, of liewer, kraai.

Maar Haan wil nie sing nie, want Haan is ook nie dom nie. Hy weet goed Prêriewolf is 'n ou wat van hoendervleis hou.

Prêriewolf lê later plat op die grond met sy pote langs sy ore soos hy Haan

smeek om te sing. Toe kan Haan dit nie meer hou nie. Hy rek sy nek, gooi sy kop ver agtertoe, knyp sy oë toe en begin koe-ke-le-, maar voor hy by koe! kan uitkom, het Prêriewolf hom al in sy bek. En daar hardloop hy met Haan deur die lang gras.

Kon-ster-na-sie! Nou moet Haan planne maak om uit Prêriewolf se bek te kom. Hy besluit om Prêriewolf so kwaad te maak dat hy sy bek móét oop-maak om iets te sê.

"Jig, ou Wolf," sê Haan, "jy huil mos altyd snags teen die volmaan, so whoe-whoe-whoeee, ek hoor jou baie nagte. Weet jy, almal sê dis omdat jy 'n bangbroek is, 'n papbroek wat sommer vir niks skrik."

Prêriewolf is dadelik kwaad. Watwou hy bang wees! En dit nogal in die nag. Wolwe sluip dan juis in die nag rond. Maar hy hou sy bek met arme Haan daarin styf toe. Grrrmmmbrrr! brom hy toe-bek.

Haan dink en dink. Toe sê hy: "Verder skinder almal omdat ek my koe-ke-le-koe baie langer kan aanhou en uitrek as jy jou ou whoe-whoetjie."

Nou is Prêriewolf woedend siedend briesend kwaad. Want almal weet tog 'n wolf kan sy whoe-whoe-whoe so lank uitrek dat die laaste whoe tot doer by die sterre trek. Veral op 'n volmaannag. En Prêriewolf gooi sy kop agteroor, knyp sy oë toe, maak sy bek oop en huil die langste wolfhuil wat nog ooit op die prêries gehoor is. Whoe-whoe-whoe-eee-eee-eee . . . !

Maar toe hy sy oë oopmaak om Haan weer te gryp, sien hy daar doer sit Haan hoog en droog op 'n boomtak.

"Koe-ke-le-whoe-whoe!" koggel Haan vir Prêriewolf. "Lekker uitgevang! Loop huil jy maar vannag teen die volmaan."

Mexikaans

Hen soek 'n naald

In die ou-ou dae was Hen en Valk groot maats. Valk met haar krom snawel en vinnige oë het altyd van daar bo uit die lug grond toe gevlieg om by Hen te kom gesels, want Hen kon sulke lekker kekkel-skinderstories vertel van watter hen die kleinste eiers lê en watter haan sy kraai verloor het.

Valk was 'n belangrike voël in daardie dae, sy was die enigste voël wat 'n naald besit het! Altyd diep onder haar vlerkvere weggesteek.

Hen het daardie tyd vir haar 'n klomp sagte dassievelletjies bymekaargemaak. Sy wou vir haar 'n karos maak, 'n warm velkombers vir die winter. Maar om die velletjies aanmekaar te werk, het sy 'n naald nodig.

Eendag toe Valk weer so lekker lag vir een van Hen se kekkelstories, vra Hen met 'n kloekstemmetjie: "Liewe vriendin Valk, ek wil vir my 'n karos maak om om my skouers te hang in die winter. Kan ek groot seblief jou naald leen?"

Valk se wakker geel oë draai skeef. Ai, jai, jai, haar naald leen sy nie graag uit nie. "Hen, maar sê nou jy laat my naald wegraak? Onthou, ek is die enigste voël wat 'n naald het."

Hen trappel diékant toe en daardie kant toe. "Nee tog, Valkie," sê sy. "Ek sal so nooit as te nimmer jou naald laat wegraak nie. As dit ooit gebeur – maar dit sal nie – kan jy een van my kuikens vang om te eet."

"Hm, goed dan maar," sê Valk. En sy haal haar kosbare naald diep onder haar vlerkvere uit en gee dit vir Hen.

Hen skarrel huis toe en daar werk sy al die sagte velletjies aanmekaar vir 'n karos. Toe sy klaar is, swaai sy die karos oor haar skouers en los die naald net so op die vloer van haar huis en hardloop eers buitentoe om vir die ander henne haar dasvel-karos te wys.

"Kekke-kê, ja-nee, baie mooi," sê al die hoendertantes. En hulle draai hulle oë skeef na links en dan weer skeef na regs, nie min jaloers nie.

Hen is nou so deftig, sy kan tog nie werk met haar karos om nie! "Toe-toe," roep sy haar kuikens. "Gaan maak die huis aan die kant, vee die vloer, gooi die vullis weg. 'n Deftige vrou soos ek met 'n mooi karos doen nie sulke ou vuilwerkies nie."

Toe hoor Hen 'n singroep ver bo uit die lug. Sy kyk op. Ja, daar draai Valk om en om. "My vriendin Valk!" roep Hen opgewonde. "Kyk bietjie my deftige karos wat ek self gemaak het!"

Valk vlieg bietjie laer. Haar skaduwee val oor Hen. "Ja, Hen, ek sien," sê Valk. En toe met 'n kwaai stem: "Maar-waar-is-my-naald, hè?"

"Naald! Naald! Pe-kêk-kêk!" skrik Hen en hardloop om die naald te gaan haal, terwyl die karos om haar dun bene floep. O dikkedensie! Die naald lê nie meer op die vloer nie. O pestilensie! Die kuikens het die huis uitgevee met naald en al. Hen skarrel rond. Sy soek buite op die ashopies rond en onder elke bossie en blaar. Sy skrop en krap alles uitmekaar, maar verniet. "Phakisa! Maak gou!" roep Hen. "Kinders, help soek!"

Valk weet nou haar naald is weg. Soos 'n pyl skiet sy grond toe om vir haar 'n kuiken te gryp. Maar Hen sien Valk se skaduwee op die grond val, sy kloek haar kinders onder haar vlerke in en Valk kan die kuikens nie bykom nie.

Van toe af kloek-kloek al die henne hul kinders onder hulle vlerke in wanneer Valk in die lug ronddraai en haar skaduwee oor die grond skuif. En elke dag, nou nog, help al die hoenders vir Hen soek na die naald. Hulle skrop en hulle skrop orals rond. Maar tot vandag toe is Valk se naald weg en tot vandag toe waarsku alle henne hulle kuikens klein-klein om dadelik na hul ma te hardloop as Valk se skaduwee oor die grond skeer.

Sotho. In dieselfde storie, beknop opgeneem in Märchen aus Südafrika, *vra Hen 'n mes van Valk om vleis te sny. Maar in Minnie Postma, onverbeterlike oorverteller van Sotho-verhale, se langer weergawe in* Kinders van die Wêreld, *Deel 7, en* As die maan oor die lug loop, *lei 'n naald tot Hen se ydele rondpronkery en haar verdere trawalle. Meer dramatiese potensiaal vir die oorverteller!*

Uil en Kietsiekat gaan trou

Een aand by die see – dit was somer en soel – klim 'n grootooguil en 'n wyfiekat in 'n bootjie vir twee en seil weg in die nag. Uil het 'n klein blink blikkitaar en daarop speel hy vir Kietsiekat: "Jy is my liefling en ek i-i-i-s so bly . . ." Kiets se oë glim groen in die maanlig.

Kos is daar ook in die bootjie: heuning in potjies, appelliefies, rosyntjies en dennepitte, ghwarriebessies en maroelas, meloentjies en pampoentjies. Want wyd is die see en ver is die reis.

"Uil," sê Kiets, "jou sal ek vir niks verruil nie. Jy's galant en sjarmant, jy is net die man vir my. Beter sal ek nêrens kry."

En Uil en Kietsiekat seil deur die nag, hulle seil deur die dag, deur die weke en deur die maande.

Deur 'n skrikkeljaar en nog een hele dag.

Tot by die Land van Nimmerkwaad aan die See van Nooitverlaat.

Daar spring Uil uit die bootjie en glimlag vir Kiets. "Kom, Kietsie my skat, dis tyd om te trou. Ons soek gou 'n ring en 'n predikant."

Om die eerste draai van die enigste pad in die Land van Nimmerkwaad staan daar 'n varkie met 'n goue ring in sy oor.

"Liewe Varkensmeneer," sê Uil met 'n buiging, "wees tog so gaaf, wees tog so braaf en verkoop jou ring aan ons." En hy hou 'n sakkie silwergeld uit.

Varkie sê: "Og, hoekom nie? By die huis is die geldjies juis min." En hy glip die ring uit sy oor.

Die troue word in 'n japtrap gereël. Klein Rooi Hennetjie bak die troukoek, en Selakant is die predikant, spesiaal uit die diepsee laat haal.

Uil skuif die ring aan Kietsie se kloutjie.

En Kiets vryf haar snorre teen Uil se vlerk.

Padda daag op met sy basviool. Varkie blaas op 'n varkblomblaar. Uil tokkel die snare van sy blikkitaar. En hoog daar bo lag die maan se ronde gesig.

Die bruilofstafel staan met kosgoed belaai: muskadel vir die heildronk, mosselpastei en perlemoen, appelliefietert en braambessiesap.

Toe begin die groot rinkink: dis laag buk en hoog skop, dis riel dans en langarm, dis vastrap en wals, dis toi-toi en tiekiedraai tot hanekraai. Jakkals en Hiëna dans die Groot Seties. Skilpad en Hasie dans hand om die nek. Koning Leeu drink van almal die meeste muskadel. En Koeterwaal, die altyd-honger-kat, sit doodtevrede . . . met 'n klein bakkie melkkos en kaneel. Sonder suiker.

Daarna het Uil en Kietsiekat nog baie jare lank gelukkig gewoon, in die Land van Nimmerkwaad aan die See van Nooitverlaat. En al was die nagte ook hoe soel en somers, weggeseil het hulle nimmer-nooit. En Varkie het hul beste vriend gebly.

'n Vrye verwerking van Edward Lear se bekende vers "The Owl and the Pussy-Cat".

DIE LIKKEWAAN WAT WOU FLUIT SPEEL

DAAR WAS EENMAAL 'N SEUNTJIEBABA wat blitsig gegroei het. Hy kon binne een dag op sy voete staan, en toe sy ma en pa sien, hardloop die mannetjie al oor die groen heuwels van hul land. Hy gryp vir hom 'n stuk suikerriet en kou dit dat die soet sop oor sy ken drup. Sy naam was Hlakanyana.

Die ou manne van die plek bekyk hom so, hulle skud hul grys koppe en sê: "Hawu! Hierdie mannetjie is nie sommerso nie, hy is slim en sterk. Hy gaan julle nog almal 'n streep trek." En waarlik, Hlakanyana was vol skelmstreke, en 'n regte terggees.

Op 'n dag slaan hy 'n haas met sy knopkierie oor die kop. Baf! Morsdood. In die skaduwee van 'n wildevy, naby 'n rivier, braai hy die haas oor die kole. En toe hy die laaste beentjie aflek, bekyk hy dit so teen die sonlig. Spierwit en hol . . . nes 'n fluit, dink Hlakanyana.

Net mooi op daardie oomblik hoor hy Ufukwe die vleiloerie, die een wat party mense die reënvoël noem, se lang druppelnootfluit soos 'n kettinkie van klanke uit die takke bo sy kop. Doeb-doeb-doebdoebdoebdoebdoeb . . .

Hlakanyana se skelm ogies glinster. Hy gaan vir hom 'n fluit maak wat nog mooier as die reënvoël sal sing. "Pê!" steek hy tong uit vir Ufukwe.

En daar in die mistige môre sny en vyl en skaaf en skuur Hlakanyana aan sy beenfluit tot hy glad en pragtig en beenwit in sy hand lê. Nou moet hy nog net oefen. Slim mannetjie wat hy is, kry hy gou die eerste note en so al speel-speel loop hy met die rivier langs na die suikerrietheuwels se kant toe.

Glodderrr! gly daar 'n glibberige, nat likkewaan met 'n lang sterk stert voor sy voete verby en loop staan vierpoot in die paadjie.

"Môre, Hlakanyana," groet die likkewaan ekstra vriendelik.

"Ja-ja, môre," groet Hlakanyana so tussen die fluit deur. En doeb-doeb-doeb . . . blaas hy voort.

Likkewaan kantel sy lang kop diékant toe en hy kantel hom daardie kant toe en sy gesplete tong flikker gretig uit sy mond. "Hlakanyana," lispel en kwyl hy, "leen tog jou fluit vir my, net so vir een kort blasie, toe, asseblief!"

"Nee," sê Hlakanyana beslis, "ek het hom self gemaak, hy's net myne. Hy's lig soos 'n liedjie, hol soos 'n rietjie, luister 'n bietjie." En doeb-doeb-doebdoeb-doebdoebdoeb . . . sing die fluit, selfs mooier as Ufukwe die reënvoël op 'n mistige môre.

Likkewaan se oë traan van lus om te fluit. "Ag, toe," soebat en smeek hy, "net een ou fluitjie . . ."

"Nou toe dan maar," sug Hlakanyana eindelik. "Maar jy kom weg hier van die water af. Ek ken jou soort. Netnou verdwyn jy met my fluit onder die water in."

Likkewaan glibber deur die biesiepolle tot doer waar die heuwel begin. Daar gee Hlakanyana hom die fluit en sê: "Net een keer, hoor."

Doebie-doebie-doeb- blaas Likkewaan, en toe wil Hlakanyana die fluit teruggryp.

"Ag nee, net nog een slaggie, jy het dit mos nou vir my geleen!" protesteer Likkewaan en trappel agteruit met die fluit.

Hlakanyana skrik. Hy bestorm Likkewaan om sy fluit terug te gryp, maar Likkewaan swiepslaan hom met sy lang dik stert dat Hlakanyana op die grond rol. Likkewaan glip soos 'n vaal streep reguit water toe, en toe Hlakanyana weer orent kom, is Likkewaan klaar weg onder die water met sy wonderlike fluit so lig soos 'n liedjie, hol soos 'n rietjie.

Hlakanyana kan vuur spoeg so kwaad is hy, maar dit help alles niks nie. Diep onder uit die water kom die borrelgeluid van 'n fluit: Doeblie-doeblie-doebldoebldoebldoebldoebl . . . en daarna hoor Hlakanyana net 'n slymerige, hees likkewaanlaggie.

Zulu. Net soos daar baie sprokies rondom Hlakanyana in die Nguni-folklore is, word daar prettige verhale van Sankhambi deur die Venda vertel. Vir al twee moet mens ligloop, want hulle is listig, hulle kan selfs van vorm verander en hulle hou daarvan om poetse te bak, hoewel Hlakanyana hier bo deur Likkewaan uitoorlê word. Prêriewolf (Coyote) in inheemse Noord-Amerikaanse folklore, Heitsi-Eibib/ Heiseb by die Nama en Damara, en Kaggen/Mantis by die San is soortgelyke konkelaars, soos ook Anansi die slim spinnekop (man) van die Asjanti in Ghana.

Waarom die Seekoei
in die Water Leef

In die dae van lank gelede toe die diere nog die konings op die aarde was, was die seekoei sommer 'n grootmeneer. Net 'n kortkop minder belangrik as die olifant. Hy het heeltyd in die boswêreld geleef en net water toe gegaan as hy dors was.

Hoewel Seekoei 'n dier vir plesier was en lief om groot feeste te hou met baie kos vir almal, het hy een groot geheim gehad. Hy wou sy naam vir niemand sê nie.

Net sy sewe vroue het dit geken.

Een somersaand hou Seekoei weer fees. Hy blaas deur sy neusgate, rimpel sy dik vel en sê vir sy honger gaste: "Vanaand gaan ons 'n speletjie speel. Julle kan soveel eet as julle wil, maar eers moet julle vir my sê wat my naam is." En hy proes al klaar van die lag.

Al die diere probeer: "Bieliebaliepens, Spanspekboud, Pienk-oor, Geel-tand, Dikkedêns, Potjierol . . ." Seekoei lê soos hy lag en sy sewe vrouens skud dat die vetrolle rimpel. Later raak die diere roekeloos van die honger en noem

Seekoei die stuitigste, dolste name: "Poerstamperpoot, Gommajorravetstieks, Rompelpompelflodderpens."

"Verkeerd, verkeerd. Jammer, jammer, geen kos as julle my naam nie kan raai nie." En druipstert sluip die diere weg met mae wat knor van die honger.

Maar Skilpad bly agter. "Sê my, grootmeneer Seekoei, wat sal jy doen as iemand eendag jou naam reg raai?"

"Hê-hê-boerrrrp," hik Seekoei. "Sal nooit gebeur nie. Maar as iemand ooit as te ooit my naam raai, sal ek my so skaam dat ek en my vrouens uit die boswêreld sal trek en in die water sal gaan wegkruip."

Skilpad se oë trek op skrefies, hy skik die plooie in sy nek reg en gaan grawe 'n gat reg in die paadjie waarmee Seekoei en sy vrouens soggens en saans watergat toe stap. Hy kruip in die gat en laat net so 'n stukkie van sy dop uitsteek.

Vroemôre kom Seekoei en sy vrouens proesend en blasend in die paadjie aan. Die jongste van die sewe vrouens se voet haak vas agter Skilpad se dop, sy trap in die gat en verstuit haar voet.

"Ag, Isantim, my man," roep sy kliphard uit. "Isantim! Ek het my voet verstuit teen 'n klip."

Toe was Skilpad darem in sy noppies! I-san-tim, I-san-tim, sê hy oor en oor in sy kop.

Kort daarna hou Seekoei weer fees. Die diere sit en kwyl van die lus, die kos wag, maar niemand weet wat Seekoei se naam is nie.

Daar krabbel Skilpad vorentoe. "Meneer Seekoei," sê hy en maak kamtig keel skoon. "Onthou jy nog dat jy gesê het jy en jou vroue sal van skaamte in die water gaan wegkruip as iemand jou naam reg raai?"

"Ja, ja," lag Seekoei uit sy rammelmaag. "Maar niemand sal dit tog ooit raai nie. Hê-hê-boerrrrp!"

Skilpad kruip nog so 'n aks nader. "Meneer Seekoei," kraak sy stem, "jou naam is . . . I-san-tim!"

Seekoei steier omtrent agteroor van skok. "Hoe weet jy dit!" bulder hy, maar toe storm die diere al joelend en juigend op die kos af.

Grootmeneer Isantim kry so skaam, hy en sy sewe vroue vlug dadelik uit die boswêreld en plons in die naaste watergat weg, met net hul ore wat uitsteek. Van daardie tyd af skuil Seekoei bedags in die water en kom net snags uit om te vreet.

Nigeries. 'n Verhaal van die Igbo-stam. Die wêreldstorieskat bevat baie verhale waarin towerkrag of 'n vyand se mag gebreek word deur 'n kodewoord te sê of iemand se naam reg te raai. Vergelyk byvoorbeeld "Repelsteeltjie", 'n Grimm-sprokie, waarin die jong koningin die klein dwergmannetjie se mag breek toe sy sy regte naam kan sê.

HASIE EN VERKLEUR-
MANNETJIE SE RESIES

Dis 'n warm dag. Die son brand neer op die veld. Al die diere, groot en klein, soek skaduwee.

"Hegge-hegge-hegge," lê Hasie en hyg in die skaduwee van 'n klapperbos. Sy maag wip op en af, so uitasem is hy van die hitte. Hy maak sy oë toe, sy ore val plat, en terwyl 'n bytjie bo sy kop zoem, sluimer hy in.

Teen die laat namiddag begin 'n windjie roer. Die diere word wakker uit hul middagslapie. Meerkatte kom uit hul gate. Daar anderkant rek 'n jakkals hom uit.

Versigtig, pootjie vir pootjie, klouter 'n verkleurmannetjie teen die stam van die klapperbos af. Hy sien Hasie lê vas aan die slaap. Toe lag Verkleurmannetjie diep in sy keel. Hy weet Hasie spog orals rond dat hy die vinnigste kan hardloop van al die kleiner diere. "Ek," sê Hasie altyd en slaan ka-boemboem! op sy bors, "ek is die vinnigste van julle almal. Niemand kan my klop nie. Ek het boonop die meeste name van julle almal. Hulle noem my Hasie Kalbassie, Kalulu, Sungura, Hasie-Voet-in-die-Wind en . . ."

Ga! dink Verkleurmannetjie by homself. Ek noem jou Hasie Haastand Grootbek. En vandag leer ek jou 'n les.

"Hiert, jou grootbek," sê Verkleurmannetjie met sy krakerige stemmetjie. "Kyk, die skaduwees word al lank. Lig jou lui lyf en kom hardloop resies teen my. Van hier tot teen die stam van die kokerboom daar bo teen die koppie."

Hasie verstik byna soos hy lag. "Wat! Jy, ou Trapsoetjies, wil jy teen my resies hardloop? Ou Suutjiestrap! Jy kan skaars kruip, wat nog te sê hardloop?"

Hasie lag so, hy slaan glad bollemakiesie. Toe sê hy uitasem: "Maar as jy regtig wil hardloop, kan ons hardloop. Moet net nie by my kom kla as die diere vir jou lag nie."

"Top!" sê Verkleurmannetjie. "En hoor hier, jy mag maar eerste wegspring. Kom staan hier reg voor my."

Hasie wil hom siek lag, maar hy gaan staan mooi reg voor Verkleurmannetjie.

"Een!" tel Verkleurmannetjie. "Twee!" En toe hy "Drrrie!" sê, byt hy terselfdertyd vas in die hare van Hasie se stertklossie. Hasie voel niks nie. Hy spring weg soos die wind, hy hardloop dat die stof staan, dat die klippies spat. Want hy is mos Hasie-Voet-in-die-Wind. Sonder dat hy dit weet, swaai Verkleurmannetjie aan sy stertklossie agterna!

Toe Hasie met 'n wip van sy stert teen die kokerboom se stam tot stilstand kom, skree hy: "Whê, jou mos gesê ek sal wen!" En hy kyk rond waar Verkleurmannetjie aankom.

Toe sê 'n krakerige stemmetjie agter hom: "Ag, puur verniet, Hasie. Ek sit al van oudag af hier vir jou en wag!"

Hasie swaai om, en daar sit Verkleurmannetjie houtgerus teen die stam van die kokerboom!

Hasie kan dit nie glo nie, hy is woedend, hy trommel en slaan tamboer met sy pote op die grond. Maar Verkleurmannetjie rol net sy twee uitpeul-oë links en regs, hy skiet sy lang oranje tong uit en vang vir homself 'n vet vlieg.

Op daardie oomblik krabbel Skilpad ook verby. "Hieg-hieg," lag hy, "iemand het Hasie 'n les geleer!" Want sien, Skilpad het ook al teen Hasie resies gehardloop – en hom geklop. Maar dis 'n ander storie vir 'n ander dag.

In Afrika, soos oor die wêreld, is wedrenne en ander kompetisies tussen vinnige en stadige, of swak en sterk, diere bekend. In Suid-Afrika is die bekendste een seker die resies tussen Haas en Skilpad. In 'n sprokie uit Friesland hardloop die haas en die krimpvarkie teen mekaar. Die prys is 'n muntstuk – 'n goue Willem – en 'n flessie brandewyn. Krimpvarkie wen, omdat sy vrou, wat net soos hy lyk, hom stilletjies aflos. Haas is poegaai gehardloop teen die einde.

DIE LANGOORPRINSIE EN DIE LIED UIT DIE RIETFLUIT

IN DIE TYD VAN LANK-GELEDE-EN-VER-VAN-HIER is daar 'n babaprinsie vir 'n koning en 'n koningin gebore. Al die mense het na die mooi prinsie kom kyk. Onder die mense was daar ook drie feë wat hul vlerke onder hul mantels weggesteek het. Saggies, sodat die mense nie moet hoor nie, fluister die eerste fee vir die prinsie: "Jy sal die mooiste en gaafste prins in die hele wêreld wees en almal sal lief wees vir jou." En die tweede fee sê: "Jy sal baie slim wees en baie ryk." Die derde fee, 'n ou knorpot, word baie kwaad dat die ander twee feë al die beste wense klaar gewens het. En sy sis deur haar tande: "Jy sal twee lang donkie-ore hê."

Sowaar! Toe die koningin daardie aand die babaprinsie se mussie afhaal, spring twee lang, pienk donkie-oortjies regop op sy kop. "Ag, liefste land! Wat gaan ons doen?" huil die koningin by die koning.

Die koning sug. "Hy sal van nou af altyd 'n mus moet dra. En niemand mag ooit weet van sy donkie-ore nie. Wat 'n skande!"

Die prinsie het mooi grootgeword. Hy was slim en lief en gaaf en almal

het van hom gehou, maar hy het altyd 'n mus gedra. In die somer het hy ge-sweet onder sy mus. Maar die koning sê: "Jy haal dit nie af nie! Niemand mag weet dat jy donkie-ore het nie."

Soos die prinsie groter word, het sy swart krulhare al hoe langer geword. Later het hulle onder sy mus begin uitsteek. "Ons moet ons prins se hare laat sny, kyk hoe lyk hy," sê die koningin vir die koning.

Die koning se voorkop plooi. "Goed," sê hy, "maar die haarkapper moet belowe dat hy nooit vir enigiemand sal sê dat die prins donkie-ore het nie. As hy dit vir ander vertel, gooi ek hom in die tronk."

Die koninklike haarkapper kom om die prinsie se hare te sny. Hy skrik hom boeglam toe hy die twee lang donkie-ore sien. Maar hy buig voor die koning en belowe hy sal nooit ooit vir 'n ander mens daarvan sê nie.

Ai, dit was swaar om stil te bly. As hy tog net vir iemand, net vir een ander mens, kon vertel dat die mooi, slim, gawe prinsie al die tyd twee yslike donkie-ore onder sy mus het.

Op 'n dag kan die haarkapper sy geheim nie meer hou nie. Hy loop na 'n rietbos net buite die stad. Hy kniel tussen die riete en fluister tussen die lang, groen rietstele deur: "Ons mooi, slim, gawe prinsie het twee donkie-ore!"

Toe voel die haarkapper beter. Skoon verlig.

Maar daar kom 'n klompie kinders verby en sny van die riete af om vir hulle fluite te maak. En toe die eerste kind op sy fluit blaas, sing die fluit helder en duidelik: "Ons mooi, slim, gawe prinsie het twee donkie-ore!" En dit ge-beur met al die ander kinders. Gou-gou hoor die mense daarvan en praat daar-oor – "tjie-tjie-tjie" – hand voor die mond. Die koning hoor ook die ding. Hy word woedend kwaad en laat kom die haarkapper.

"Jy het belowe om niks te sê nie! Hiervoor gaan jy tronk toe," bulder die koning.

Die haarkapper bewe so bang is hy. Maar die prinsie gaan staan tussen die haarkapper en die koning en hy ruk die ou warm mus van sy kop af.

"Hhhaai-oeee!" gil al die mense wat by die vensters inloer, toe hulle die twee donkie-ore sien.

"Ja, julle kan nou almal sien ek het donkie-ore," sê die prinsie vir die mense. "En wat maak dit saak! Dis die waarheid en die waarheid moet gehoor word. Ek sal eendag 'n goeie koning wees, want my hart en my kop is goed. Die donkie-ore sal nie van my 'n slegte koning maak nie."

En "Hhhaai-oeee!" roep die mense weer uit, want toe die prinsie klaar die waarheid gepraat het, is die twee lang, pienk ore skielik weg, en hy staan daar met sy pragtige swart krulkop en twee doodgewone seuns-ore en kyk hulle reguit aan.

Portugees. Vergelyk dit met die volgende verhaal, "Woorde kan ook wortel skiet", waarin die kerntema net bietjie anders uitgebeeld word. Stories van konings of prinse met geheime soos eselsore of horings op die kop word in verskillende volke se sprokieskat gevind. Waarskynlik is die Griekse mite van koning Midas met die eselsore die oervoorbeeld hiervan. Dis dieselfde Midas wat 'n tyd lank die gawe gehad het om alles waaraan hy raak, in goud te verander.

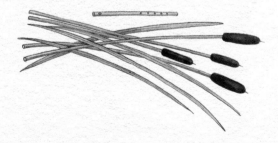

Woorde kan ook wortel skiet

Dis moeilik om te glo, maar daar was eenmaal 'n koning met 'n horing op sy kop. Maar omdat outydse konings altyd 'n kroon op hul kop moes dra, en selfs daarmee geslaap het, het niemand ooit geweet van die horing op die koning se kop nie. Niemand behalwe sy haarkapper nie, want vir die haarkapper moes die koning natuurlik sy kroon afhaal.

"Nooit ooit mag jy vir iemand sê van die horing op my kop nie," het die koning slag om slag gesê wanneer die haarkapper met sy handdoek, sy skêr en sy goue kam die koninklike slaapkamer binnekom.

En slag om slag het die haarkapper geantwoord: "Vir geen mens nie, U Majesteit!" en dan het hy gou-gou die rooi fluweelgordyne diggetrek.

Die haarkapper het woord gehou, hoewel hy gebrand het om net een keer vir iemand te sê: "Weet-jy-wat-ons-koning-het-'n-horing-op-sy-kop-maar-jy-mag-dit-vir-g'n-mens-sê-nie!"

Op pad paleis toe moes die haarkapper altyd by 'n ou put verbystap. Eendag kan hy dit nie meer hou nie. Hy buig laag in die put af en roep sy geheim uit: "Die koning het 'n horing op sy kop!" Onder in die put rimpel die water van die haarkapper se asem, die woorde is uit en hy sug van verligting.

Maar toe, een lang skroeiwarm somer, droog die put se water op en onder in die modderige klamte skiet 'n rietbos wortel en begin groei. Al hoër en hoër, op na die son toe, strek die lang rietstele tot hulle koppe vry in die wind rondwieg.

'n Eensame skaapwagter kom met sy troppie verby, hy sien die riete en gaan sny vir hom een af. Hy maak daarvan 'n fluit en begin daarop speel. Maar daar sing die rietfluit hoog en helder oor berg en dal: "Hal-lie-hié, hal-lie-há, hallie-hop-hop-hóp, die koning het 'n horing op sy kop-kop-kóp!" Natuurlik hoor die mense dit wyd en syd en hulle vertel dit van oor tot oor: "Haai o, ons koning het 'n horing op sy kop!"

Net gou hoor die koning ook wat daar om die hoeke van sy paleis geskinder word. Hy druk sy kroon vaster op sy kop en laat haal heel eerste die haarkapper. "Vir wie het jy dit vertel?" vra die koning kwaai, sommer met die inkomslag.

Die haarkapper bewe. "Vir . . . vir g'n enkele m-mens nie," stotter hy. "Net een keer, toe ek dit nie meer kon hou nie, het ek dit in die ou put uitgeroep."

Toe laat die koning die skaapwagter kom wat die fluit uit die riet gesny het wat uit die ou put gegroei het waarin die haarkapper die geheim uitgeroep het. "Speel dat ek hoor," sê die koning streng.

Die skaapwagter druk die fluit teen sy lippe en daar sing die fluit hoog en helder sodat almal in die paleis dit hoor: "Hal-lie-hié, hal-lie-há, hallie-hop-hop-hóp, die koning het 'n horing op sy kop-kop-kóp!"

Almal se oë is op die koning. Die hele paleis is doodstil . . .

Toe sit die koning agteroor op sy troon en hy sê baie rustig en doodtevrede: "Nou ja-a-a, dan weet almal dit nou. En dis goed so. Wat 'n verligting!"

Die mense babbel en klap hande, want ag wat, 'n ou horinkie op die koning se kop is mos nou nie die einde van die aarde nie.

Daarna wink die koning die sekretaris van die hof nader en hy sê vir hom: "Skryf bietjie op in *Die Goue Boek van Wysheid*: Woorde kan ook wortel skiet."

Grieks. In 'n soortgelyke Indiese verhaal word die seun van 'n radja ('n Indiese prins) met so 'n horing op die kop gebore. Of dit nou rietfluite is wat dit uitsing, soos in die vorige twee verhale, of tromme, soos in die een uit Indië, die waarheid kom altyd aan die lig.

Vrou Holle

Daar was eenmaal twee susters: die een se naam was Flukse Marietjie en die ander s'n was Luie Lien. Flukse Marietjie het al die werk in die huis gedoen. Luie Lien het heeldag op haar rug lê en droom.

In daardie dae het die mense nog hul water by 'n put gaan skep en die emmers water huis toe gedra. Flukse Marietjie moes elke dag 'n paar keer put toe om water te skep. Eendag was sy baie moeg en toe sy oor die water buk, laat val sy haar ma se mooiste skepbekertjie onder in die put. Sy skrik so groot dat sy agternaspring om die bekertjie te kry. Maar sy val in 'n diepe donkerte in. Toe sy wakker word, staan sy in 'n veld vol blomme en sonskyn. In 'n buite-bakoond sien sy sewe bruin brode lê. "Haal ons uit, haal ons uit, anders verbrand ons. Ons is lankal gaar," roep die brode.

En Flukse Marietjie haal die sewe bruin brode versigtig uit.

Net daarna kom sy by 'n appelboom vol rooiwangappeltjies. "Skud my, skud my," roep die boom, "my appeltjies is lankal ryp."

En Flukse Marietjie skud die boom tot al die appels op die gras lê.

Daarna kom sy by 'n houthuisie met 'n duif op die dak. Koer-koer. In die deur staan 'n ou vroutjie met snaakse groot tande. Flukse Marietjie wil sommer weghardloop, maar die vrou sê: "Moenie bang wees nie, ek is Vrou Holle. Jy kan by my kom bly, maar jy moet elke oggend my verebed deeglik uitskud sodat die veertjies aarde toe dwarrel, want dan sneeu dit op die berge."

Elke dag doen Flukse Marietjie alles wat Vrou Holle vra, sy werk hard, sy is altyd vriendelik. Maar toe begin sy huis toe verlang.

"Ek wil maar teruggaan huis toe," sê sy. "My ma sal nie meer kwaad wees vir my omdat ek haar mooi skepbekertjie in die put laat val het nie."

"Goed, liewe kind," sê Vrou Holle. "Stap onder hierdie reënboog deur, dan is jy gou-gou terug by jou huis. En omdat jy so fluks was, kry jy 'n beloning." Toe Marietjie onder die boog met die sewe kleure deurstap, reën daar glinsterende goue geldstukke op haar neer en sit oral aan haar klere vas.

Toe die flukse meisie by die huis kom, roep die werfhaan:

"Kiekerekie, ons Flukse Marié,
  sy't goud op haar kroontjie
  tot onder by haar toontjie."

Toe Luie Lien die goud sien en haar suster se storie hoor, hardloop sy put toe. Sy plons in die water, die diepe donkerte in. Sy word wakker en staan ook in 'n sonnige blommeveld, daar is ook 'n bakoond met sewe brode en die brode roep: "Haal ons uit, haal ons uit, anders verbrand ons. Ons is lankal gaar."

Maar Luie Lien sê: "Gmf, ek gaan nie my hande vuil maak nie," en daar stap sy, neus in die lug.

Sy kom by 'n appelboom vol rooiwangappeltjies wat roep: "Skud my, skud my, my appeltjies is lankal ryp."

Luie Lien sê net: "Gmf, ek gaan my nie moeg maak nie," en daar stap sy, mond op 'n plooi.

Sy kom by die houthuisie, en dié keer sit 'n swart kraai op die dak. Kra-kra. Dieselfde ou vroutjie met die groot tande sê: "Ek is Vrou Holle. Jy kan by my kom bly, maar jy moet elke oggend my verebed deeglik uitskud sodat die veertjies aarde toe dwarrel, want dan sneeu dit op die berge."

Die eerste dag doen Luie Lien alles reg. Die tweede dag word sy lui. Die derde dag sit sy langlip en handjies gevou.

Toe sê Vrou Holle: "Gaan maar huis toe onder die reënboog deur."

Luie Lien dink: Lekker, nou kry ek goud! Maar toe sy onder die reënboog deurloop, val daar 'n emmer vol taai, swart pik oor haar uit. "Dis jou beloning omdat jy so lui was," roep Vrou Holle agterna.

Toe Luie Lien skaam-skaam by haar huis kom, roep die werfhaan:

"Kiekerekie, ons Luie Lien,
  sy't pik op haar kroontjie
  tot onder by haar toontjie."

Luie Lien moes 'n hele dag en 'n hele nag skrop om al die pik af te kry.

Duits. 'n Grimm-sprokie. In die oorspronklike verhaal laat die meisie 'n spinspoel in die put val. In 'n verhaal van die Wachaga in Oos-Afrika spring 'n meisie, Marwe, in 'n poel en kom by 'n ou vroutjie uit vir wie sy fluks werk. Sy word beloon met koperarmbande en -enkelringe en 'n fraai velvoorskootjie met krale toe sy na haar mense op die land wil terugkeer. Alice Werner (Myths and Legends of the Bantu) *verwys na hierdie Afrika-verhaal (uit* Volksbuch der Wadschagga, *1914, van Bruno Gutmann) as 'n soort "Frau Holle"-storie.*

Die prinses op die ertjie

Lank gelede, toe prinse net met prinsesse getrou het, was daar 'n gawe prins wat in die hele wêreld rondgesoek het na 'n egte prinses om mee te trou. Sy moes slimmerig en mooierig en veral gaaf en lief en fyntjies wees, hierdie egte prinses. Die prins het gesoek en gesoek, maar die regte-egte een kon hy nie kry nie.

Een nag huil daar 'n stormwind om die prins se paleis, en dit stortreën. Die takke van die bome in die paleistuin kraak en knars teen die vensters. Die ou koning en die koningin en die jong prins wat 'n prinses soek, sit voor die kaggel. Elkeen met 'n glasie warm melk en 'n dik boek vol stories van drake en ridders en prinsesse in die nood.

Tok-tok-tok, klop iemand aan die swaar voordeur. Die koningin is nuuskierig en gaan loer gou deur die venster. Sy sien 'n jong meisie met mooi klere aan, maar sopnat en bibberend, voor die deur staan.

"Ag, die arme kind," sê die ou koningin. En sy gaan maak self die deur oop.

"Ek is 'n prinses en soek asseblief slaapplek vir die nag. Ek het in die woud verdwaal toe ek gaan stap het," sê die meisie en skud die water uit haar lang blonde hare.

Hm, of jy 'n prinses is, sal ons nog moet sien, dink die ou koningin. Sy neem die meisie na 'n kamer vir spesiale kuiergaste en laat haar in warm water bad waarin rooi en wit roosblare dryf.

Terwyl die meisie bad, gaan die koningin na die gastekamer en sy sit een ertjiekorrel op die bedplank. Toe pak sy twintig ekstra matrasse bo-op en daarna twintig verebeddens bo-op die matrasse. Die ou koningin lag saggies en vryf haar hande. "Hie-hie, nou sal ons sien of jy 'n fyntamaryn prinses is," sê sy.

Sy wag tot die meisie kom slaap en steek vir haar 'n lang wit kers aan wat die hele nag voor haar bed kan brand sodat sy nie alleen voel nie. Sy gee vir die meisie lekkerruik-olies om haar mee in te vryf. En warm heuningtee met gemmer en 'n paar druppels suurlemoen daarin om te drink.

"Slaap lekker, kind," sê die koningin en trek die deur saggies agter haar toe.

Die volgende oggend gaan die koningin self na die meisie se kamer. "En hoe het jy geslaap?" vra sy opgewonde.

Die arme meisie rol haar oë en trek haar gesig. "Oe," kla sy, "vreeslik sleg. Ek weet nie wat dit was nie. Ek het op my linkersy gelê, ek het op my regtersy gelê. Ek het op my rug gelê, ek het op my maag gelê. Maar slaap kon ek nie. Daar was iets wat my vreeslik seergemaak het. Kyk, ek is vol kneusplekke. Behoorlik pimpel en pers!"

Toe weet die koningin: Iemand wat 'n ertjiekorrel dwarsdeur twintig matrasse en twintig verebeddens kan voel, is 'n egte prinses. Want so fyntamaryn is niemand anders nie.

Toe die prins die prinses ontmoet, kyk hy lank en ernstig na haar. En hy dink: Sy is mooi, maar belangriker, sy lyk vir my ook slimmerig en veral gaaf en lief. Buitendien, iemand wat 'n ertjiekorrel deur soveel matrasse en vere-beddens kan voel, moet 'n regte-egte prinses wees.

Natuurlik moes die prins en die prinses mekaar eers beter leer ken, maar baie gou het hulle mekaar so liefgekry dat hulle getrou het. Wanneer die twee alleen was, het hy haar soms Prinses Ertjie genoem. En as hy haar nog meer wou terg, het hy haar Prinses Fiefeltjie genoem . . . omdat sy so vreeslik fyn-tjies was.

Deens. 'n Sprokie van Hans Christian Andersen. In Sweedse weergawes word die prinses soms op meer as een nag getoets met neute, graankorrels, speldekoppe of selfs 'n strooihalmpie tussen haar matrasse.

SKOP-SKOP AGTERPOOTJIES
EN AAP-MA

MEVROU HOND HET DIE OULIKSTE KIND gehad, haar naam was Skop-Skop Agterpootjies. Hierdie hondekind kon bollemakiesie slaan, rondomtalie draai soos 'n bromtol, en dan op haar voorpote gaan staan en met die agterpootjies in die lug groot, swaar kokosneute vang wat uit die bome val. Daarom was haar naam Skop-Skop Agterpootjies. Mevrou Hond was baie trots op dié kind van haar.

Op 'n dag speel Skop-Skop Agterpootjies onder 'n boom 'n entjie van haar huis af. Sy gooi vier stokkies in die lug en vang hulle, nou met die voorpote, dan met die agterpote. Dis net wiep! en wap! en sy vang hulle elke keer.

Aap-ma en haar groot familie kom verby en sien die oulike hondekind. Aap-ma lag van plesier, so iets het sy nog nie gesien nie. En sy sê, saggies-saggies, vir haarself:

"Wiep-wap, wiep-wap, rats vang sy,
 die regte een om te werk vir my.

Hout aandra en mango's pluk,
rek en strek en grond toe buk."

Die ape klap hande en wip op en af – a! a! – elke keer as Skop-Skop Agter-
pootjies 'n stokkie vang. Dis al skemerdonker maar die hondekind lag en speel
nog buite met die klomp ape.

Later begin mevrou Hond na haar kind roep. "Skop-Sko-o-op!" roep sy,
maar sy hoor net die kokosbome ritsel in die aandwind. Mevrou Hond begin
oral soek. Meneer Hond ook. Mevrou Hond vra vir almal of hulle Skop-Skop
Agterpootjies gesien het.

"Nee, ons het nie. Nee, ons het nie."

Maar mevrou Kat met die skerp oë sê: "Ek het gesien die hondjie is lag-lag
saam met die trop ape hier weg."

Mevrou Hond begin oral vra waar Aap-ma se huis is. Niemand weet nie.
Mevrou Hond huil, sy huil die hele nag om. Die volgende oggend vra sy vir
die mense wat kokosneute pluk. Nee, hulle weet nie. Sy vra vir die mense wat
trosse piesangs afsny. Nee, hulle weet nie. Sy vra vir die mense wat lemoene
pluk. "Ons weet nie waar Aap-ma woon nie," sê hulle, "maar Skop-Skop was
netnou saam met die ape by die mangobome. Skop-Skop staan so op haar
voorpote, en wiep, wap, vang sy die mango's met haar agterpote."

Mevrou Hond soek. Meneer Hond soek. Soek-soek tussen al die mango-
bome.

Maar alles verniet.

Eindelik sê 'n klompie vissermanne op die strand vir mevrou Hond waar
Aap-ma woon. Mevrou Hond soek tot sy by 'n kliphuisie teen 'n heuwel kom.
Rondom die huis raas en lawaai die klomp aapkinders. Aap-ma sit in die son
en kou aan 'n grassie.

"Asseblief, gee my kind terug," smeek mevrou Hond by Aap-ma.

Maar Aap-ma wil niks weet nie. "Ons het nie jou kind nie," jok sy. "Sien jy haar dalk iewers?"

Nee, mevrou Hond sien Skop-Skop Agterpootjies nêrens nie. Want Aap-ma het die hondekind in 'n agterkamertjie toegesluit.

Maar wat gebeur toe?

Meneer Hond kom met Anansi die slim Spinnekopman daar aan. Anansi praat deftig-deftig met Aap-ma, so asof hy van niks weet nie: "Goeiemôre, mevrou Aap-ma," groet hy, "'n wonderlike dag wens ek u toe!" En sy stem is pure heuninglagie op asyn.

Aap-ma sê nie 'n woord nie. Toe die ander ape Spinnekopman se stem hoor, bly hulle ook tjoepstil. Want Anansi Spinnekopman is nie sommer enige hierjy nie.

Selfs 'n aap weet dit.

"Ek wonder tog," sê Anansi met sy soet-soet stem, "of hier onder julle klomp iemand is wat kan blaf?"

"Nee, meneer," sê Aap-ma vinnig.

Maar Anansi roep met 'n harde stem: "As hier iemand is wat kan blaf, laat haar blaf!"

En skielik – "woef-tjaau-tjaau!" – huil 'n hondestemmetjie.

Toe blaf Skop-Skop Agterpootjies so hard as sy kan sodat haar ma-hulle kan weet waar sy is.

"Mevrou Aap-ma," sê die slim Anansi Spinnekopman, "ek dink daar is iemand wat wil uitkom!" En sy klein swart ogies blits kwaai.

Toe vergeet selfs die krieke om te tjirp.

Aap-ma laat sak haar kop en gaan sluit die agterkamertjie se deur oop en Skop-Skop Agterpootjies storm uit en slaan bollemakiesie en spring sommer bo-op mevrou Hond se rug. "Vat my weg, Ma, vat my weg-weg-weg!" sê sy en huil sulke fyn tjommel-tjankies, so bly is sy.

Van toe af sê ma's hulle kinders moet nooit met vreemde mense saamgaan nie.

Karibies/Jamaikaans. Ghanese stories van Anansi Spinnekopman het saam met slawe uit Wes-Afrika na die Karibiese Eilande gekom. Die Jamaikaanse vertelstyl is ritmies en sangerig soos in James Berry se prettige oorvertellings, Anancy Spiderman. *Een van die bekendste verhale van die Asjanti in Ghana vertel van die transaksie waarin Kwakoe Anansi en Aso, sy vrou, die Luggees daar bo gaan uitoorlê en 'n kissie propvol stories aarde toe bring. Dit is dan waar die Asjanti se bekoorlike stories vandaan kom!*

DIE BOOMKINDERS

Op 'n dag sit 'n vrou en kralewerk doen in die son. Sy sit langs-
been en soek al die rooi, blou en groen kraletjies uit vir 'n snoer. "Ag, ek het nie
eens 'n man nie," sug sy, "maar ek wil so graag kinders hê. Baie kinders vir wie
ek pap kan maak, kinders met wie ek kan speel en hande klap en liedjies sing,
kinders wat jong mense word. Meisiekinders wat water gaan haal by die rivier
en saans my koeie kan melk en my kan help om ons huis met gras en modder
en beesmis dig te maak, en lenige, dapper seuns wat bedags met 'n lang spies
in die hand sal uitgaan om my beeste op te pas sodat ek 'n ryk vrou word."

Toe pak sy haar kralewerk weg in 'n leersakkie. Daarna loop sy ver oor die
grasvlakte en met 'n steil paadjie op na die wyse ou medisyneman wat hoog
teen die berg sy blyplek het.

"Wat moet ek tog doen om baie kinders te hê?" vra sy uitasem toe sy bo
kom en gee die ou man 'n kalbas dikmelk wat sy saamgebring het.

Die medisyneman slurp gretig uit die kalbas. Hy vee sy mond af. Toe
sê hy: "Loop na die naaste wildevyeboom, een met vrugte aan. Klim in die

boom, pluk 'n groot bak vol wildevye, gaan sit dit in jou huis op die vloer. Dan loop jy ver in die veld in, en net ná sononder kom jy terug huis toe."

Die vrou maak net so, sy maak alles net so. Net voor skemer kom sy terug uit die veld en van ver af hoor sy baie kinderstemme wat lag en liedjies sing. "Ons mamma!" roep die kinders al van ver af en hardloop haar tegemoet. Die seuns het die beeste al kraal toe gebring en die meisies het haar hut uitgevee en water gaan haal by die rivier.

"Oe-loe-loe-loe!" juig die vrou en maak 'n groot vuur vir 'n yslike pot pap. Haar kinders word groter by die dag. Die vrou het alles wat sy wil hê. Bedags gaan kuier sy ver by ander vrouens se woonplekke en saans as sy terugkom, is al die werk op die werf gedoen.

Maar op 'n dag toe sy bietjie vroeër huis toe kom, is die potte nog nie vol water nie, en die seuns het die beeste nog nie in die doringkraal gejaag vir die nag nie. En sy is moeg geloop en vies. "Julle is ondankbare kinders!" raas die vrou. En toe glip dit uit haar mond: "Mens kan sommer sien julle is nie regte menskinders nie, julle is sommer net boomkinders!"

Die kinders bly doodstil. Hulle kyk ver uit oor die skemer veld, en al die lag is weg uit hul oë.

Toe die vrou die volgende oggend opstaan, is die kinders se slaapplekke leeg. Sy soek verniet na hul spore op die werf. Die nagwind het dit dood-gevee.

"Oe-oe-tog," huil die vrou. "Wat het ek nou gedoen? Dis vreeslik, so stil en alleen." En sy loop weer ver oor die grasvlakte en sy vat weer die bergpaadjie na die medisyneman toe.

Maar die wyse ou man skud sy kop. "Nee, ek kan jou nie help nie. Jy het die kinders beledig."

"Dan sal ek maar gaan kyk of hulle nie dalk by die wildevy is nie," sê die vrou treurig. Sy gaan haal eers weer 'n groot pot by die huis en loop veld-in na die naaste wildevyeboom. Miskien kry sy haar kinders weer, soos die eerste keer.

Maar nee, elke vy wat sy wil pluk, kry skielik twee donker oë wat haar so verwytend aanstaar dat sy haar hand terugruk en bewend uit die boom klim. Toe sy huis toe loop, druk die leë pot swaar op haar kop. Maar haar hart voel nog swaarder, want dis nog leër as die pot.

'n Verhaal van die Masai, Kenia. Daar bestaan wêreldwyd verhale waarin kinders op 'n wonderbaarlike wyse aan ouers gegee word, net om later weer te verdwyn, gewoonlik ná die ouers iets onaanvaarbaars gedoen of gesê het. In die Russiese sprokie "Sneeukind" word die dogtertjie weer 'n sneeupop en smelt weg. In 'n Tanzaniese verhaal, "Die kalbaskinders", verander die kinders terug in die glimmende kalbasse wat hulle eens was.

WAAR DIE ROOIVLERK-SPREEUS ROEP

Bo in die berge, in die diep klowe waar die rooivlerkspreeus roep, woon 'n meisie van toeka se tyd af. Haar naam is Eggo; party mense noem haar ook Weerklank. Sy is die kind van die wind. Oe, sy kan terg, die Eggo! As die rooivlerkspreeus tsioe, tsioe, roep, dan roep sy tsioe-tsioe-oe-oe, terug. As die bobbejane boggom! skree, skree sy boggom-om-om! agterna. En as die uile snags hoe-hoe, dan koggel sy terug met hoe-hoe-oe-oe.

Nou was daar eenmaal 'n man wat baie lief was vir musiek. 'n Wildsbokhoring was sy trompet: truut-truut-trrruuut! Hy het vir hom 'n musiekding met snare van ratelsenings gemaak: twieng, twieng, tweng! Hy het 'n springbokvel oor 'n pot getrek en daarop geslaan: boem-diedie-boem-diedie-boem! Maar Speelman, die groot musiekmaker, die man wat om die aandvure van die voortyd gesing het, het 'n maat gesoek vir saamsing en saamspeel. Toe vertel die oudste ouma vir hom van die meisie in die klowe wat so mooi kan sing. En Speelman vat sy karos, hy vat sy bokhoring en hy begin klim, al in die kloof op.

Truut-trrruut! blaas hy op sy bokhoring, en truut-trrruut-uut-uut! blaas die Eggo-meisie. Nog helderder en mooier.

Toe sing Speelman: "Waar is jy? Ek moet jou kry."

En Eggo sing: "Waar-is-jy-ek-moet-jou-kry-y-y."

Speelman antwoord: "Hier is ek, kom na my."

Maar die meisie antwoord ook: "Hier-is-ek-kom-na-my-y-y."

Speelman kan die meisie nêrens kry nie. Toe roep hy weer: "Waarheen gaan jy? Wag vir my."

En "Waarheen-gaan-jy-wag-vir-my-y-y," roep sy terug.

Arme Speelman se kop raak deurmekaar. Eggo se stem kom elke keer van 'n ander plek af. Speelman se voete word seer van ronddwaal in die klowe. Later is hy skoon verdwaal in die grammadoelas. Die skemerdonker kruip al in die klowe af. En rondom hom bons die leeus se gebrul en die jakkalse se getjank en die uile se gehoe-hoe heen en weer tussen die kranse.

'n Trop bobbejane kom op 'n streep by Speelman verby. Die bobbejaan-kinders kyk vir Speelman en skree vir hulle pa: "Sny die man se kop af, ons wil daarmee bal speel." En die ou bobbejaantantes skree: "Sny sy bene af, gee hulle vir ons, dan loop ons ook regop."

Speelman skrik so groot, hy blaas trrruut-trrruuuuut! op sy bokhoring, en trrruut-trrruuuuut-uut-uut! weergalm die klowe. Die bobbejane slaan bolle-makiesie soos hulle skrik, en klouter die kranse uit.

Speelman was nou so moeg dat hy sommer sy karos om hom draai en onder 'n hol krans aan die slaap raak. Maar doef, daf, doef, daf, kom 'n groot maan-haarleeu verby. Hy snuffel Speelman gou-gou uit, hy gryp hom aan sy karos en sleep hom weg. Speelman is slim – hy hou hom dood en knyp sy oë styf toe. Leeu los Speelman eers onder 'n doringboom. Nou wil Leeu sy vrou en kinders gaan roep om te kom kyk, maar hy loer eers vir Speelman agter 'n rots uit.

Na 'n rukkie draai Speelman sy kop net so ef-fen-tjies om te sien waar die leeu is. Doef, daf, kom Leeu se groot pote aangedraf. Leeu kyk Speelman so en hy kyk Speelman sus en hy draai Speelman se kop anderkant toe. Daarna wag hy eers weer agter die rots om te sien of Speelman rêrig dood is. Speelman roer nie 'n ooglid nie. Toe draf die leeu oor die rantjie om sy vrou en kinders te gaan haal.

Speelman maak sy een oog oop, hy maak sy ander oog oop. Dankie tog, Leeu is weg! Speelman spring op, hy gryp sy karos, hy gryp sy bokhoring en hy hardloop val-val sonder ophou, deur die donker, tot hy onder op die vlakte by sy mense uitkom.

"Nee," sê Speelman vir sy mense wat om die aandvure sit. "O nee, daardie Eggo-meisie, sy terg mens, sy koggel jou en op die ou end verdwaal jy in die klowe en die leeus vang jou. Van nou af speel en sing ek liewer weer alleen."

San. Die Von Wielligh-weergawe is hier as basis gebruik vir die oorvertelling. In 'n optekening van Wilhelm Bleek en Lucy Lloyd verskil die verloop van die verhaal heelwat van bogenoemde. Onder meer kom soek die leeu die jong man agterna by sy mense — en daar is nie 'n gelukkige einde nie.

Die skat onder
die grond

Daar was lank gelede 'n man wat van die oggend tot die aand hard gewerk het met sy twee hande. Hy het die grond bewerk, geskoffel en omge-ploeg, saad gesaai, geoes. Heeljaar deur was daar baie werk en saans het hy met 'n lang, lang sug op sy houtstoel in die kombuis neergeval, pootuit van al die werk. Wanneer hy sy bord borsjt en sy stuk swartbrood geëet het, kon hy nie wag om bed toe te gaan nie.

Hierdie man het drie seuns gehad, drie fris lummels, Nikolai, Wadim en Sasja, al drie so lui soos môre heeldag.

"Hoekom help julle nie julle pa nie?" wil die bure weet.

"Ag, ons pa werk so fluks en sorg so goed vir ons, ons hoef nie ook nog te werk nie," sê Nikolai, Wadim en Sasja in 'n koor.

Maar die pa word oud, die tuin raak verwaarloos en die lande staan kaal in die oestyd. Op 'n dag kan die pa nie meer opstaan uit die bed nie. Hy weet hy sal nie meer lank leef nie.

Toe skrik die drie seuns! Hulle bondel om die pa se bed saam, vryf sy hande, trek sy komberse reg, dra koel water uit 'n bergstroom aan vir hom. Maar dit help alles niks nie. Die seuns dink ook nie daaraan om self in die lande te gaan werk nie, want hulle ken mos nie van werk nie!

"Seuns," sê die pa, "julle moet nou self sien kom klaar. Gebruik julle hande, bewerk die grond."

"Ai Pa," snik Nikolai, die oudste seun, "gee tog vir oulaas vir ons 'n bietjie goeie raad." En die ander twee broers buig ook oor die bed om hul pa se sagte stem te hoor.

"Ek sal julle 'n geheim vertel," fluister die ou man. "Ek en julle ma het jare lank gespaar so goed ons kan. Ons het die geld in 'n pot gesit en iewers hier rond begrawe. Waar weet ek nie meer presies nie. Maar as julle die pot kan kry, sal julle ryk wees." Dit was sy laaste woorde.

Die volgende dag spring die drie aan die werk. Elkeen gryp 'n graaf en begin spit. Hulle werk hope geil swart grond uit, hulle sweet in die son, maar teen skemeraand het hulle nog niks gekry nie.

"Ek weet darem nie so mooi nie," sê Wadim, die middelste seun.

En die jongste seun, Sasja, sê: "My rug wil breek!"

Maar in die akkerboom voor die voordeur sit 'n kraai en hy krys: "Grawe, grawe, grawe in die geile grond!"

Die volgende môre begin die drie broers weer grawe. Sjoef, steek die grawe in die grond, en floep! word die vars grond uitgekeer. Oor en oor. Toe die son die aand ondergaan, slinger die drie huis toe, moeg en gedaan. Van 'n skat is daar geen teken nie.

In die akkerboom krys die ou kraai: "Grawe, grawe, grawe in die geile grond!"

Die seuns spit later die hele tuin om, hulle spit al die landerye om, hulle trek die onkruid uit, en die klam, vars grond lê donker omgewoel, net reg vir

saai. Dit word vir hulle lekker om soggens vroeg op te staan en hard te werk. Die bure sê: "Maar kyk sulke sterk, flukse manne!"

Op 'n dag leun Nikolai, die oudste broer, op sy graaf en sê vir Wadim en Sasja: "Vergeet maar van die skat. Dit lyk nie vir my daar is so iets nie. Maar terwyl ons die grond nou so mooi omgespit het, kan ons net sowel plant." En hulle begin druiwestokke plant, groot lappe grond vol daarvan, en gee dit water en sorg daarvoor.

Na 'n tydjie staan die wingerd grasgroen, later verskyn die eerste druiwe-korrels en gou hang yslike donker trosse persrooi en glansend in die son. Die bure kom help die broers. Hulle oes die druiwe, hulle laai vragte vol op waens en gaan verkoop dit oral rond. En verdien baie, baie geld.

"Ons pa was toe reg," sê Nikolai. "En baie slim. Daar wás toe 'n skat in die grond weggesteek! Ons moet net nooit ophou om die grond te bewerk nie."

Ja, ja, knik Wadim en Sasja. Hulle haal hul viole uit, Nikolai gaan haal sy fluit. Hulle sit onder die ou akkerboom, en hulle speel en sing:

"Die soetheid van die druiwetros,
 o, die soetheid van die druiwetros.
 Met leeglê is ons kant en klaar,
 ons boer vooruit, so wrintiewaar!"

Bo in die akkerboom kras die kraai 'n krys-laggie, klapper sy vlerke en vlieg die skemer in. Kra-kra-kra!

Russies/Moldawies. Borsjt is 'n dik sop van Russiese oorsprong, veral van beet (wat soms koud voorgesit word), maar ook van ander groente.

UILSPIEËL BETAAL MET DIE KLANK VAN GELD

'N GOEIE PAAR HONDERD JAAR GELEDE was daar 'n terggees, 'n skelm, 'n poetsbakker met die naam Uilspieël. Sy mus met die twee lang punt-ore met 'n klokkie aan elke punt het bietjie soos 'n hofnar s'n gelyk. Met Uilspieël het die mense nooit geweet waar hulle aan of af is nie. Hy kon die slimste streke uitdink en gewoonlik die beste daarvan afkom.

Uilspieël het baie rondgeboemel, van een plaas of dorp of stad na die ander. Oral het hy kattekwaad aangevang. Op 'n dag is hy in die stad Keulen. Hy slaap en eet daar in 'n herberg. Maar toe dit tyd word vir middagete, is die kos nie klaar nie. Uilspieël wag en wag en kla later by die herbergier: "Hoe's dit met julle hier in Keulen? Hier wag mens tot oudag vir jou kos!"

En toe skuif hy sy sitbankie tot teenaan die vuurherd waar 'n vet braaiboud oor die oop vuur gaar word.

"Fff, fff," snuif Uilspieël die heerlike braaivleisgeur in. "Hmm, hmm, heerlik!" En daar bly hy sit en snuif tot die herbergier sê die kos is gaar en die mense kan nou tafel toe kom.

Maar Uilspieël bly sit waar hy sit. "Kom jy nie eet nie, ou klakous?" vra die herbergier.

Uilspieël skud sy kop dat die twee punt-ore aan sy mus rondflap en die klokkies tieng-tieng maak. "Nee wat," sê hy, "my maag is nou vol van die geur van die braaiboud. Ek is heeltemal versadig."

Na die ete betaal al die gaste die herbergier vir die maaltyd. Die herbergier kom hou die geldbord ook vir Uilspieël en sê: "Betaal asseblief. Jy sê mos jy het vol geword van die geur van die braaiboud. Dan moet jy vir jou ete betaal."

Maar Uilspieël wil niks weet nie. "Harg!" lag hy onderlangs en sy oë flits skelm. Hy haal 'n geldstukkie uit sy sak en laat val dit op die vloer. Klienggg! maak die geldstukkie. Die herbergier buk om dit op te tel, maar Uilspieël gryp dit soos blits en glip dit weer in sy eie sak.

"Hoe dan nou?" sê die herbergier. "Dis mos my betaling vir die geur van die braaiboud wat jy in my herberg geniet het."

Uilspieël lag net. "As ek moet betaal vir die geur van die braaiboud, is die klank van die geld mos genoeg betaling vir jou. Dis tog regverdig, nie waar nie?" Hy gryp sy reisbondel wat hy aan 'n stok oor sy skouer dra soos dit daardie tyd die gewoonte was en maak dat hy wegkom uit die stad Keulen voor daar moeilikheid kom. Ligvoets loop hy, sy kop vol planne vir sy volgende skelmstreek in 'n plek waar die mense hom en sy konkelwerk nog nie ken nie.

Duits. 'n Klein bietjie soos o.a. Hlakanyana in Zulu/Xhosa-sprokies, en Sankhambi in Venda-stories, is Uilspieël die Duitse grapmaker-poetsbakker-konkelaar. Maar hy het nie die bonatuurlike kragte van die ander twee nie. Hy boemel rond van stad tot platteland, selfs van land tot land, en sy spot ontsien geen mens nie. In 1515 is 95 Uilspieëlstories vir die eerste keer in die bekende Volksbuch*-uitgawe gepubliseer. Die Duitse komponis Richard Strauss het Uilspieël se streke verewig in 'n simfoniese toondig,* Till Eulenspiegels lustige Streiche.

KROKODIL KOKKEDOOR EN
DIE DWERGHERT

IN 'N LAND WAAR DIE AARDE soms bewe en die berge soms vuur spoeg, en dit ook nog baie reën, staan 'n dwerghert, Kantjil, op 'n dag voor 'n bruisende rivier. Dit het die oggend skielik hard begin reën in die berge, en Kantjil, wat anderkant die rivier gaan soetgras soek het, is nou vasgekeer deur die vol rivier. Haar kort beentjies bewe en sy dink eenstryk deur net aan haar kleintjie wat aan die ander kant van die rivier skuil.

Kantjil staan nog so en dink in die vlak water, toe plas daar 'n skurwe krokodilkop reg voor haar bo die watervlak uit. Sy skrik haar yskoud. Dis Krokodil Kokkedoor!

"Hiert!" sê Krokodil Kokkedoor. "Net wat ek vandag soek. Lekker dwerghertvleis, of wat sê jy, Kantjil!"

Kantjil dink soos blits. Sy sê: "Haai, wag-wag-wag, Kokkedoor, het jy nie geweet ons dwerghterte se vleis is verskriklik giftig as jy te veel daarvan eet nie? Eers as daar eenhonderd en vyftig krokodille elkeen 'n stukkie van een dwerghert eet, is dit veilig. Dan is ons vleis nogal soos goeie medisyne vir julle."

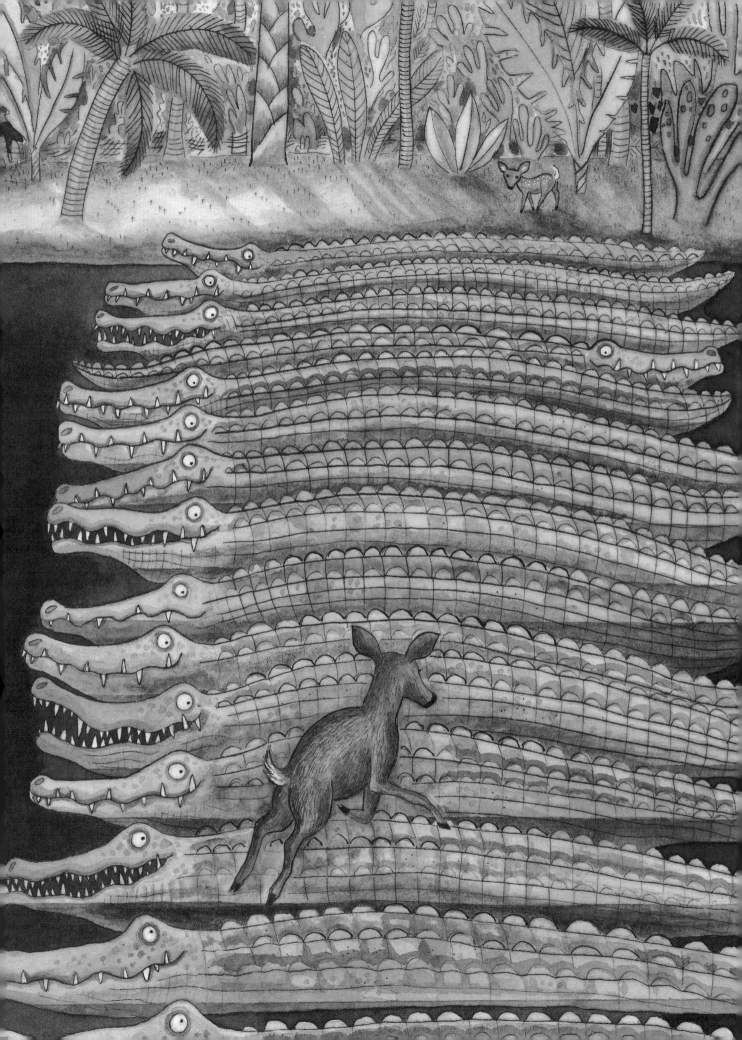

Krokodil Kokkedoor lag liederlik sodat sy rye geel tande gevaarlik wys. "Ag, jy praat pure twak, Kantjil!"

"Nee rêrig," hou Kantjil vol, en sy dink net aan haar kleintjie. "Roep eers nog eenhonderd nege en veertig van jou vriende, dan kan julle my maar opeet en julle sal niks oorkom nie."

Krokodil Kokkedoor se kake klap-klapper soos hy dink. Dalk is dit waar, en hy wil ook nou nie vergiftig word nie. Hy slaan met sy geweldige stert drie keer in die water om sy maats te roep. Die rivier kook en borrel soos die horde krokodille boontoe swem. Hulle stamp teen mekaar en baklei om eerste by Kokkedoor te wees.

"Toe," sê Krokodil Kokkedoor vir Kantjil, "hier's ons nou. Nou kan ons jou mos maar opvreet. Elkeen sal net 'n flentertjie vleis kry, nes jy gesê het."

Maar Kantjil dink soos blits, want sy het 'n kleintjie wat oorkant die rivier wag. Boonop weet sy Kokkedoor het nie 'n kop vir syfers nie. "Wag so 'n biet-jie!" sê sy. "Hoe weet jy vir seker hier is nou eenhonderd en vyftig krokodille bymekaar? Onthou, al is julle net een te min, sal my vleis giftig wees en julle sal almal doodgaan."

Krokodil Kokkedoor rol sy sluwe oë. Hy's in die moeilikheid, want hy kan nie juis verder as tien tel nie en hy wil nou darem regtig nie vergiftig word nie! "Nou ja, tel jy dan self," sê hy vir Kantjil. "Toe, julle klomp," por hy die ander krokodille aan. "Gaan lê julle nou in 'n ry, styf teenmekaar, van hierdie wal tot by die anderkantste oewer sodat Kantjil julle kan tel."

"Onthou, almal se koppe en rûe moet uitsteek. En niemand mag roer nie!" roep Kantjil.

Toe die ou klomp snork-snork en klappertand in 'n lang ry lê van die een rivierwal tot by die ander, spring die dapper dwerghert op die eerste krokodil-rug. "Een!" tel sy. En sy spring weer. "Twee!" tel sy. En toe "Drie!"... en ...

"Vier!" en . . . "Vyf!" en so hou sy aan. Van die een skurwe rug op die ander.

Toe Kantjil by eenhonderd nege en veertig kom, sien sy daar is nog drie krokodilrûe voor haar. Maar voor sy "Eenhonderd . . . en . . . vyftig!" klaar gesê het, spring sy soos blits bo-oor al drie en vleg deur die onderbos aan die oorkantste oewer en verdwyn in 'n ommesientjie in die digte oerwoud. Die krokodille bly oopbek hang in die water. Kantjil het hulle sowaar gefop, en hulle het haar nogal gehelp om die rivier oor te steek!

Toe Kantjil by haar kleintjie kom, is sy sopnat en stokflou, maar sy sê: "Onthou, my lam, moet nooit moed opgee nie. Jy kan altyd 'n plan maak, selfs al is daar meer as eenhonderd en vyftig krokodille wat rondom jou kwyl."

"Mmm-ja-mmMa," mompel die piepklein dwerghert tussen sluk en suig deur.

Indonesies. Die dwerghert, 'n klein soogdier, speel in Indonesiese en Maleisiese verhale dieselfde rol as die klein maar vernuftige haas of skilpad of verkleurmannetjie wat in so baie sprokies uit ander wêrelddele die sterker diere uitoorlê.

DIE SKOENMAKER
SE GHITAAR

EENMAAL WAS DAAR 'N SKOENMAKER met 'n bottergeel ghitaar waarop hy elke aand na die ete gespeel het. Op 'n stoel voor sy huisie, terwyl sy kinders in die nou, skemer straatjie dans en sing en sy vrou in die voorkamer by lamplig sit en lap en borduur en saggies saamneurie. Die skoenmaker was arm, die kinders se klere oud en afgedra, maar hulle was almal gelukkig.

Skuins oorkant die skoenmaker was die huis van 'n ryk man. Skatryk, maar ongelukkig. Aand na aand sit hy voor sy venster wanneer die skemer val en kyk verlangend na die vrolikheid by die skoenmaker se huisie. A, dink die ryk man, dit moet die ghitaar wees. As ek so 'n bottergeel ghitaar kan hê, sal my lewe ook vrolik word. En die ryk man loop na die skoenmaker en bied hom 'n sak vol goue munte aan vir sy ghitaar.

Die skoenmaker streel oor sy ghitaar se gladde geel hout. Sy oë word klam, maar hy dink aan die baie dinge wat hy met die goue munte sal kan koop, en hy sê ja.

Nog dieselfde aand sit die skoenmaker en sy vrou en tel die goue geldstukke oor en oor. Hulle stry later met mekaar, want dan kry die een honderd en twee, dan kry die ander honderd en drie.

Moedeloos hou hulle later op met tel en begin dink wat hulle met al die geld sal maak.

"Kantgordyne vir die huis en klere vir die kinders en fyn oorbelle van silwerdraad vir my en . . . en . . ." sê die vrou.

"Nee," keer die man, "volstrek nie. Ek wil nuwe teëls koop, en 'n melkkoei en 'n paar bale leer om nuwe skoene van te maak en . . . en . . ." So stry hulle tot al twee rooi in die gesig is, en woedend vir mekaar, en liefde en vrede soos verskrikte voëls by die deur uitvlieg.

Die kinders kom met lang gesigte van buite af ingedrentel. "Dis niks meer lekker nie," kla hulle. "Sonder die ghitaar wil niemand dans en sing nie." En hulle gaan sit op 'n ry met vies gesigte en hulle donker hare hang in hul oë en hulle lyk kompleet soos weggooikinders.

So gaan dit aand vir aand.

Toe sê die vrou vir die skoenmaker: "Dis die geld. Ons moet dit teruggee. Dit bring geen geluk vir ons nie."

Die kinders sê niks nie, maar die skoenmaker voel hul oë op hom. Toe knik hy en neem die swaar sak goue munte. Hy stap daarmee uit in die someraand en toe hy voor die ryk man se venster verbyloop, sien hy hom treurig sit met die glimmende geel ghitaar stil langs hom.

"My vriend," sê die ryk man vir hom, "dis goed so. Neem terug jou ghitaar. Dit het my geen vrolikheid gebring nie, want ek kan nie daarop speel soos jy nie. Speel weer saans soos vroeër en wees vrolik."

Daardie aand pluk die man sy ghitaar se snare soos nooit tevore nie. Plieng-plieng-plieng, klink dit in die skemer straat. En dan slaan hy die akkoorde dat dit dreun. Die kinders storm uit buitentoe en dans en sing saam

met hul maats. In die voorkamer sit die skoenmaker se vrou by lamplig en lap en borduur, en sy neurie saggies saam. Almal vry en gelukkig soos vroeër, en liefde en vrede woon weer onder hulle dak.

Portugees. Dis opvallend dat talle sprokies die boodskap dra dat egte, eenvoudige dinge, en nie noodwendig rykdom nie, geluk en tevredenheid gee. Kleintyd het so 'n storie 'n blywende indruk op die verteller van die bundel gemaak: 'n Verveelde, terneergedrukte koning, sat van fynkos en niksdoen, word aangeraai om harde handearbeid te gaan doen en 'n slag goed honger te ly. Toe iemand ná baie ure van harde buitewerk vir hom 'n snytjie droë, growwe brood gee, was dit vir die verwende koning die allerheerlikste kos ooit.

DIE WATERSLANG SE VONKELSTEEN

DIE WATERSLANG SE LYF IS GLAD EN BLINK en reënboogkleure speel daaroor. Maar die mooiste van alles is die waterslang se kosbare steen wat sy op haar kop dra – dit skitter en vonk soos 'n diamant in die son. Snags gloei dit silwerwit in die maan se lig. Die waterslang pas haar steen baie, baie mooi op, want sy weet die mense wil dit hê. As enige mens daardie steen in die hande kry, gaan dit vir altyd goed met hom, en al die mense is lief vir hom. Die ding is net, mens mag nie reguit na die steen kyk nie, want dan word jy blind.

Wanneer die waterslang by die fontein kom water drink op 'n warm dag, seil sy suutjies, suutjies uit die rietbos, kyk eers goed rond en gaan steek dan haar kosbare steen tussen die riete en palmiete weg op 'n plek wat net sy van weet. Dan eers laat sak sy haar kop om te drink.

Nou – lank, lank gelede toe die mense nog in die veld hul kos gesoek het en met pyl en boog gejag het, het 'n jong man besluit om die waterslang se kosbare steen vir hom te vat. Die jong man, Eendag Grootgeluk was sy naam, het die slang afgeloer en mooi gekyk waar sy haar steen wegsteek tussen die riete

en palmiete. En op 'n dag toe die slang besig is om water te drink, seil Eendag Grootgeluk al op sy maag tussen die riete deur, hy haal die steen versigtig onder die blare en wortels uit, gooi gou 'n stuk karos daaroor en hardloop daarmee na sy huis toe. Daar steek hy dit goed weg.

Maar toe begin die waterslang treurig huil by die fontein. En daardie aand, toe die son begin sak, kom die groot slang by die mense se huise aangeseil, snuffel-snuffel op Eendag Grootgeluk se spoor. Die mense skrik, hulle bly doodstil sit en kan nie 'n pinkie verroer nie. Maar Eendag Grootgeluk was slim. Hy vryf gou sy lyf met boegoe in en toe kan die waterslang hom nie meer uitruik nie. Treurig seil sy terug na die riete sonder haar steen.

Van daardie dag af gaan dit wonderlik goed met Eendag Grootgeluk. Hy word die beste jagter van almal, en al die mense raak lief vir hom en bring vir hom presente: krale van volstruiseierdop, kalbasse en karosse. Niemand weet hy het die waterslang se kosbare steen nie.

Maar in die rietbos by die fontein hou die waterslang nooit op met treur nie. Haar lieflike, glinsterende reënbooglyf word asvaal, haar oë word dof. En die fontein waar die mense altyd hul kalbasse vol water gaan maak, droog skielik op. Die mense moet ver loop om by water te kom.

Toe pyn dit in die jong man se hart. Hy weet hy moet die kosbare steen teruggee vir die waterslang. Stilletjies sluip hy na die rietbos en gaan steek die steen weg op sy ou plek. Hy roep die siek waterslang, hy roep haar saggies – "sssss-sssss" – sodat die mense dink dis net die wind in die riete.

O, was die waterslang bly om haar steen te kry! Haar lyf kronkel en dans, al die reënboogkleure kom terug op haar vel, want die kosbare steen vonkel weer op haar kop!

Onmiddellik daarna hoor die mense die gedruis van baie water soos wanneer dit ver in die berge begin reën het en die water in die klowe begin afstroom. Toe hulle weer kyk, is die fontein vol helder, vars water. Die mense kom maak hul kalbasse vol, hulle sing, hulle dans die dans van die vol fontein. En tussen die riete en palmiete lag die waterslang soos 'n babbelende stroompie.

Nou het dit nóg beter gegaan met Eendag Grootgeluk, die jong man wat die waterslang se kosbare steen teruggegee het. Die mense het nou éérs vir hom mooi presente gebring: krale van volstruiseierdop, geel kalbasse, karosse vir die winter. En hande vol boegoe vir gesondheid en sommer vir die lekker-ruik.

San. Verhale waarin slange 'n beduidende rol speel, is volop in sprokies, veral in Afrika. Soms lok die waterslang jong meisies onder die water in, soms het die slang genesende krag, en soms word 'n betowerde slang terugverander in 'n mens — soos in 'n Sotho-sprokie waarin Monyoha die slang as mooi jong man te voorskyn kom en met die begeerlike Senkopeng trou, nadat sy slangvel oopgesny en afgestroop is.

So lyk die wêreld

"Hoe lyk die wêreld nou eintlik?" vra die mol op 'n dag. "Die wêreld om my is altyd pikdonker en klam."

"Groen!" skree die sprinkaan uit die lang gras. "Die wêreld is grasgroen."

"Die wêreld is die ene water. Dis baie wyd, dit skommel my en wieg my. Dis altyd nat en sout om my," sê die walvis.

"Sand, die wêreld is die ene droë sand," sê die woestyntoktokkie.

"O nee," sê 'n kooltjie vuur. "Die wêreld is rooi en verskriklik warm en sy vlamme brand seer."

"Koud is die wêreld!" roep die ysbeer. "En ewig vol ys."

"Die wêreld maak my bang," sê die ietermagô. "Dan rol ek my op en steek my kop heeltemal weg."

"Hoë berge, kranse en klippe, dis hoe die wêreld lyk," sê die klipspringer.

"Die wêreld is geel en wit, pienkerig-rooi en ronderig, en ek pas perfek daarin," piep 'n kuiken nog in sy dop.

Toe roep 'n lewerikie hoog uit die lug van 'n nuwe dag.

Sy klap-klap haar vlerke en fluit 'n lied wat lieflik sweef oor die veld. "Julle het almal reg," roep sy, "maar die wêreld is nog baie meer as dit. Die wêreld het ook 'n groot, wye dak en die dak is blou. Hemelblou. Snags sweef die maan daar tussen sterre en wolke deur en bedags gly die groot geel son van oos na wes daaroor. O, die wêreld is wyd, wyd en vry. En glo my, soggens vroeg, net voor dagbreek, is die wêreld die ene musiek."

'n Vrye verwerking van 'n kort anonieme vers, getitel "The World",
in 1927 gepubliseer in Fun and thought for Little Folk: Home University
Bookshelf-*reeks. Die Suider-Afrikaanse lewerik of leeurik (Mirafra apiata) is*
ook bekend as "klappertjie", "klapklappertjie" en "klapklappie".

Die seun met die towerpenseel

’n Arm seun met die naam Ma-Liang was baie lief vir teken. Sy ouers was al twee dood en hy het elke dag vir die ryk mense gaan riet en bamboes sny om ’n geldjie te verdien. Daar op die oewer van die rivier teken hy dan met ’n riet in die riviersand. Wanneer hy water uit die rivier moet gaan haal, teken hy met nat vingers op die gladde rotse. En met ’n stukkie houtskool van ’n uitgebrande vuur teken hy vir die armes voëls en vase en Chinese lanterns om die mure van hul huise mooi te maak.

Ag, as ek net ’n regte penseel kon hê, soos die groot skilders, wens hy dan. ’n Dun, fyn verfkwassie.

Een nag droom hy daar staan ’n ou-ou man met ’n lang dun baard en ’n lang haarvlegsel by hom. “Ek gee vir jou ’n baie spesiale penseel,” sê die ou man in sy droom. “Wees versigtig hoe jy dit gebruik. Doen altyd goed aan ander mense.” En hy druk ’n goue penseel in Ma-Liang se hand.

Toe Ma-Liang wakker word, sug hy. Hy sou so graag so ’n penseel wou hê, maar hy het net genoeg geld om kos te koop. Jou waarlik, toe hy afkyk op

sy hand, sien hy hy hou 'n verfkwassie vas met 'n goue steel. Ma-Liang se hart bons van vreugde.

Met vinnige hale skilder hy op die muur. 'n Lieflike pou met 'n waaierstert van goud-en-pers en blou en smaraggroen vere. Toe Ma-Liang die laaste kolletjie op die stertvere klaar geteken het, sprei die pou sy vlerke en gaan sit op 'n wilgerboomtak.

Ma-Liang kan sy geluk nie glo nie. Hy is so lus vir 'n bakkie rys. Gou skilder hy 'n mooi versierde kommetjie hoogvol rys. Toe hy sy penseel neersit, staan die bakkie rys voor hom, reg om geëet te word.

Van toe af help Ma-Liang die arm mense. Hy skilder hele rysvelde net reg vir oes. As hulle ploeg breek, skilder Ma-Liang 'n nuwe. En vir die hongeriges skilder hy vis wat op die kole braai, of groot bakke kragtige hoendersop. "Moenie dat die keiser dit hoor nie," sê Ma-Liang dan. Want die keiser van daardie tyd was baie inhalig en het nooit iets vir die armes gegee nie.

Maar op 'n dag hoor die keiser tog van die towerpenseel en hy stuur sy soldate om Ma-Liang met sy penseel en al voor hom te bring. "Ek hoor jy kan die mooiste pou op aarde skilder," sê die keiser. "Skilder dadelik een vir my!"

Maar Ma-Liang verf blitsvinnig 'n kwaai ou haan wat dadelik lewe kry en om die keiser se kop fladder en kraai en krys. Die keiser word baie kwaad. "Gee hier die kwas," sê hy en ruk dit uit Ma-Liang se hand. Daarna laat hy Ma-Liang in die tronk gooi.

Daardie aand nooi die keiser al sy ryk vriende na 'n verrassingsparty. Hy wil hulle wys hoe hy met die towerpenseel kan skilder. Hy vryf sy hande en stoot sy kroon op sy kop reg. Hy lig die goue penseel en skilder 'n berg van pure goud. Maar toe hy klaar is, bly dit net 'n tekening. Hy verf 'n kamer vol juwele wat flonker en skitter in reënboogkleure. Maar toe hy klaar is, bly dit net 'n prentjie. En dit gebeur met elke tekening.

Toe laat haal hy Ma-Liang uit die tronk. "Ek sal jou loslaat," sê hy, "maar dan moet jy vir my skilder presies wat ek sê. Anders laat ek jou kop afkap. Toe, teken vir my 'n berg van pure goud!"

En Ma-Liang skilder 'n pragtige berg van goud, maar hy skilder dit so dat dit op 'n verre eiland in die grote see staan en glinster in die son.

"Jou onnosele seun," raas die keiser. "Skilder nou vir my 'n reuseskip waarmee ons na die goue berg kan vaar."

En Ma-Liang skilder 'n reusedrakeskip wat op die see lê en wieg. Die keiser vryf sy hande en hy en al sy ryk, inhalige vriende klim op die skip.

"Toe, skilder nou vir my 'n seewind sodat ons kan uitvaar na die goue berg," roep die keiser land toe.

En Ma-Liang teken so 'n ligte briesie wat die skip net effentjies roer.

"Domkop!" skel die keiser van die skip af. "Maak soos ek sê, skilder 'n stormwind sodat ons vinniger by die goud kan uitkom!"

Toe skilder Ma-Liang 'n loeiende stormwind wat briesend teen die drakeskip vaswaai en dit laat skommel en kantel en wegdryf in die mis, ver verby die eiland met die berg van goud. So ver dat niemand die keiser ooit weer gesien het nie.

Ma-Liang gryp sy goue penseel styf vas, hy skilder 'n vurige swart perd en hulle galop terug na sy eie mense – die arm mense wat nooit iets van hul skatryk keiser gekry het nie. En Ma-Liang bly tussen hulle en skilder vir hul net wat hulle werklik nodig het, en hulle het nooit weer honger gely nie.

Chinees. So 'n towerpenseel kry mens ongelukkig nie meer nie. Tog het elke mens iets wat net so kosbaar soos Ma-Liang se towerpenseel is. Verbeelding.

Die rooiste disa

Waar die hoë berge van die Hexriviervallei saans persblou lê teen skemeraand, en die wingerde vol swaar druiwetrosse staan in die laat somer, daar in dié vallei het in die ou dae 'n treurige ding plaasgevind.

Op een van die baie wingerdplase in die vallei het 'n mooi jong meisie by haar ma en pa gewoon. Sy het donker, vonkelende oë gehad en lang swart hare en sy was vir niks bang nie. Sy kon die wildste perd opklim en hom mak ry. Al die jong mans tot in die Boland wou graag met haar trou. Maar Ellie, die meisie, was baie trots en uitsoekerig. Niemand was goed genoeg vir haar nie. Die een was te kort, die ander te skraal, die een te ernstig, die ander te laf.

Toe kom daar op 'n dag 'n jong man, Johannes, van 'n ver plaas op sy spogperd aangery. 'n Blinkvosperd was dit, een waarvan die maanhare in die wind speel as hy trippel en draf en galop.

Heel eerste was Ellie verlief op die perd. "Kan ek hom koop?" wil sy van Johannes weet. "Ek moet hom eenvoudig hê."

Maar Johannes gooi sy kop agteroor soos hy lag. Sy vosperd trappel links en regs en proes en skud sy kop dat die teuels klap. "Sien jy?" sê Johannes en stryk sy perd liefdevol teen die nek. "Hy is nie te koop nie, en net ek kan hom ry."

Ellie tuit haar mond, want sy is gewoond sy kry wat sy wil hê. Maar toe moet sy self lag. Sy neem Johannes die koel voorkamer binne waar ou, mooi koper- en silwergoed glim en bakke oop wit rose uit die plaastuin op die tafels staan.

Dit was nie lank nie, toe weet Ellie Johannes is die man vir haar. Maar sy is mos trots. Sy wil nie sommer ja sê nie. Een someraand toe hulle buite op die koel voorstoep sit, sê sy vir Johannes: "Ek sal met jou trou, maar jy moet eers vir my bewys jy is lief vir my. Sien jy daar waar die volmaan agter die hoogste kranse van die berge uitkom, nou daar groei glo die rooiste, mooiste disas in die hele kontrei. Dis baie, baie hoog, dis gevaarlik, maar jy is mos dapper, is jy nie?"

Dis asof 'n koue nagskaduwee oor Johannes trek, en hy ril. Maar hy belowe vir Ellie: "Môre vroeg as die son opkom, is ek al halfpad die kloof uit," en sy stem is sterk toe hy dit sê.

Vroeg die volgende môre staan Ellie by haar kamervenster. 'n Lou bergluggie roer lusteloos aan die wit gordyne. Sy hou haar hand oor haar oë om beter te sien daar hoog in die klowe op. En waarlik, sy sien 'n stippeltjie mens teen die goud-oranje van die kranse in die eerste son. Dis Johannes en hy is al verder as halfpad.

Ellie val terug op haar kussings met die fyn kantvalletjies en dink net aan die troue, die mooi wit rok wat sy gaan dra, die groot ontvangs, en veral die ring waarmee sy so graag wil spog. In die stal hoor sy die blinkvosperd runnik en met sy hoewe kap. Vreemd, dink sy, hy's so onrustig vanoggend.

Hoe Ellie en haar ouers en die plaasmense ook al soek, later kan hulle Johannes nie meer sien nie. "Hy moet nou hoog op in die kloof wees, byna

daar waar die rooiste disas groei," sê die skaapwagter van die plaas, 'n man wat elke paadjie, bossie en krans soos die palm van sy hand ken.

Maar hoe hulle ook al wag en die ure verbygaan, Johannes kom nie terug nie. Die skaapwagter, 'n wyse ou man wat verder as die verste berge kon sien, skud sy kop. "Hy moes al lankal terug gewees het. Die berg het hom gevat. Ons moet hom gaan soek."

Ellie raak doodsbleek. Die skaapwagter klim voor toe hulle Johannes gaan soek. Hulle kry hom waar hy teen die hoogste krans afgeval het. Sy voet moet gegly het, 'n klip het seker losgebreek. In sy hand hou hy 'n bloedrooi disa vasgeklem.

Daarna was Ellie nooit weer dieselfde nie. Sy het nooit meer uit die huis gegaan nie, net pal by haar kamervenster gestaan en teen die kranse uitgestaar. Maar op 'n dag het sy stilletjies Johannes se vosperd, wat by hulle agtergebly het, opgesaal en veld-in galop met hom.

Laat die middag kom die vosperd met donderende hoewe oor die plaaswerf aan. Hy is donker van die sweet, sy asem hyg, sy spiere tril, en die teuels hang los oor sy nek. Van Ellie is daar geen teken nie . . .

En nou dwaal daar al jare lank 'n skraal jong meisie in 'n wasige wit trourok in die Hexriviervallei rond. Die heks van Hexrivier – so noem hulle haar. Op somernagte wanneer die maan vol is, sien jy haar met haar lang hare soos 'n swart sluier in die wind, waar sy aan die voet van die hoë kranse talm. Kompleet asof sy vir iemand wag.

'n Ou Afrikaanse volksvertelling wat hier 'n meer uitgebreide verhaalvorm kry met spesiale rolle vir die vurige vosperd en die wyse skaapwagter. Die vosperd, die blinkvosperd, het spontaan ingesluip in die oorvertelling uit die bekende Afrikaanse liedjie "Die blinkvosperd".

So lief soos
vir sout

Jare gelede was daar in Indië 'n koning met sewe dogters. Prinsesse met juwele in hul blinkswart hare, en lang syrokke wat hulle sari's noem.

Eendag sit die koning sy sewe dogters so en kyk en hy kry 'n glimlag om sy mond. "My dogters," sê hy, "ek wil graag weet hoe lief julle vir my is."

Nou, die koning was baie lief vir soetigheid. Hy het altyd 'n silwerbakkie vol Indiese soetgoed langs sy troon gehad.

Die eerste ses dogters sê almal: "Pappa, so lief soos vir die soetste suiker." En die ou koning se oë blink.

Toe is dit die beurt van die sewende dogter. Haar naam was Sjameli. "En jy, Sjameli, hoe lief is jy vir my?" vra die koning.

Die jongste prinses sê: "Pappa, ek is vir jou so lief soos vir sout."

Wat! dink die koning. Sy weet tog ek is so lief vir soetgoed. En toe dink die koning sowaar sy jongste dogter is nie lief vir hom nie. En hy sê sy moet maar vir haar ander woonplek soek as sy dan nie lief is vir hom nie.

Die jongste prinses stap die grote wêreld in. Sy dool oral rond. Mense is

goed vir haar, maar niemand weet sy is 'n prinses nie. Eindelik kom sy by 'n paleis met 'n leliedam vol bont visse wat daarin ronddartel. Sy verlang so na haar eie pa se paleis dat sy sommer daar by die leliedam onder 'n tamarinde-boom gaan sit en huil.

"Kan ek miskien help?" vra 'n sagte manstem agter haar. Sy kyk verskrik om. Dis die prins van die paleis.

"My naam is Sjameli," sê sy, "en ek soek werk."

So word Sjameli toe een van die vrouens wat in die paleis werk. Maar die prins laat haar 'n kamertjie alleen kry, en in die aande stuur hy vir haar lek-kernye, want iets sê vir hom: sy is nie 'n sommerso-meisie nie.

Net voor die prins op 'n lang reis gaan, vra hy vir Sjameli wat hy vir haar kan saambring. En sy sê: "In die Nimmer-Immer-Bos is daar 'n sonkissie onder die oudste boom in die bos begrawe. Daardie sonkissie wil ek graag hê. Maar waar die bos is, weet ek nie."

Die prins soek die wêreld vol na die Nimmer-Immer-Bos. Hy soek 'n hele jaar. En toe ontmoet hy 'n wyse ou man in 'n berggrot. Met bewerige vingers teken die ou man die pad na die Nimmer-Immer-Bos.

Na baie dae vind die prins die Nimmer-Immer-Bos. 'n Klein vaal voëltjie kom draai bo sy kop en fluit: "Een tree links, een tree regs, draai vinnig om, daar's die oudste boom."

En sowaar, onder die wortels van daardie boom kry die prins 'n kissie van silwer en ivoor. 'n Sonkissie.

Toe die prins eindelik weer by die paleis kom, laat roep hy Sjameli dadelik en gee die sonkissie vir haar. Sy druk dit teen haar bors.

Dieselfde nag neem Sjameli die kissie na 'n bos naby die paleis. Daar in die maanlig maak sy dit oop. Sy haal sewe poppies en 'n silwerfluit uit. Toe Sja-meli op die fluit blaas, begin die poppies dans. Sierlik en fyntjies, met knikkekoppies. Maar die eensame fluit in die maanlignag maak Sjameli so treurig dat sy begin huil.

"Hoekom huil jy?" vra die sewe knikkekoppies. En Sjameli vertel hulle sy is eintlik 'n prinses en sy is baie, baie lief vir haar pa, maar die ou koning het haar verkeerd verstaan.

Wat Sjameli nie geweet het nie, was dat 'n houtkapper daar verbygestap het en alles gehoor het. Hy vertel dit toe vir die prins.

"Ek het gewéét sy is dalk 'n prinses," sê die prins.

Nou ja, nie te lank nie of die prins vra Sjameli om met hom te trou. Met 'n goue pen skryf Sjameli die uitnodigings na die troue. Haar pa en ses susters word ook genooi. 'n Boodskapper te perd ry dae lank om die uitnodiging af te lewer.

Op die troudag huil die ou koning, so bly is hy om Sjameli te sien. Sy soen hom, maar sê verder niks nie. Die fees duur dae lank. Al die gaste kry heerlike soet en suur en sout kosse, maar voor die ou koning staan elke dag by elke maaltyd net 'n bord met soetigheid. Na drie dae is hy siek en sê: "Ek kan nie meer iets soets in my mond kry nie. Ag, hoekom kry ek niks souts om te eet nie?"

Toe sê Sjameli: "Pappa, nou verstaan jy seker hoekom ek gesê het ek is vir jou so lief soos vir sout. Sonder sout smaak niks later lekker nie."

"My kind," sê die koning, "vergewe my dat ek so dom was! Nou weet ek hoe lief jy vir my is."

Indies, maar in baie variasies in verskillende tale bekend.

DIE KEISER EN DIE NAGTEGAAL

In die groot land China was daar jare gelede 'n keiser met 'n lang dun baard wat in 'n pragpaleis van pure porselein gewoon het en sy groentee uit die fynste porseleinkommetjies gedrink het.

Rondom die keiser se paleis was 'n reusetuin met 'n regte woud tot onder teen die see. In die digte takke van daardie woud het 'n nagtegaal gewoon, 'n voëltjie wat allerliefliks kon sing.

Mense het van verre lande oor die see gekom om die keiser se porseleinpaleis en sy tuin te kom bekyk. Hulle het links en regs gekyk, die kop geknik, die hande saamgeslaan. Maar as hulle eers die nagtegaal gehoor het, het almal gesê: "Dis die mooiste van alles!"

Die keiser het nooit uit sy paleis gekom nie, nooit in sy tuin en in die woud gaan stap nie, omdat hy altyd besig was met Baie Belangrike Sake. Toe, op 'n dag, lees hy in 'n boek van 'n nagtegaal wat wondermooi sing . . . in sy eie paleistuin, in die woud by die see.

"Hoe is dit moontlik!" raas die keiser. "Ek lees in 'n boek van die nagtegaal, en ek het haar nog nooit self gehoor nie! Gaan soek die nagtegaal en bring haar vir my."

Die keiser se ou hoofhofmeester en die kamermeisies en die kok en die kombuismeisies hardloop die woud vol om die nagtegaal te soek. Die ou hoofhofmeester kom ook nes die keiser nooit in die woud nie, en as 'n paddatjie net iewers plienk-plienk! roep, dink hy sommer dis die nagtegaal. Maar die jongste kombuismeisie ken die nagtegaal. "Sjuut!" sê sy en wys na 'n vaal voëltjie wat begin sing op 'n tak. Soos fynste glasklokkies in die aandwind klink die lied.

"Liewe nagtegaal," pleit die ou hoofhofmeester, "sal jy asseblief vir die grote keiser kom sing?"

Daardie aand sit die nagtegaal op 'n goue staander in die paleis en sing vir die keiser. Sy sing so mooi dat die keiser trane in sy oë kry. Van toe af woon die nagtegaal in 'n goue koutjie en net twee keer per dag en een keer in die nag mag sy in die woud uitgaan. Daar is 'n sylint aan haar een pootjie gebind en iemand hou haar heeltyd daaraan vas.

Toe word die nagtegaal treurig, want net as sy vry is, kan sy op haar mooiste sing.

Op 'n dag kry die keiser van China 'n kosbare present van die keiser van Japan. 'n Nagemaakte nagtegaal van goud en diamante en robyne. As die keiser die goue nagtegaal opwen, sing sy prettig, maar nie so mooi soos die ware nagtegaal nie. En tog, die mense was dol oor die skitterende goue voël. Hulle wil niks meer weet van die ware nagtegaal nie, sy kom los van haar sylinte en vlieg stilletjies weg, terug na die woud.

Elke dag laat die keiser die goue nagtegaal opwen om te sing. Dieselfde liedjie, soggens, smiddags, saans. Op 'n dag maak die kunsvoël net gggrrrts, woer-woer, en bly doodstil.

Al die beste juweliers werk hard aan die goue nagtegaal. "U Hoogheid," sê

hulle vir die keiser, "sy kan weer sing, maar net saggies en net een keer in 'n lang tyd."

Kort daarna word die keiser baie, baie siek. Hy lê bleek en met toe oë op sy bed. Die beste dokters kan hom nie gesond maak nie.

Een nag voel dit vir die keiser hy kan nie asem kry nie. Iets swaars sit op sy bors. Hy is bang en eensaam. "Kosbare voël," sê hy vir die goue nagtegaal, "sing tog vir my." Maar daar is niemand om die goue nagtegaal met 'n sleuteltjie op te wen nie.

Toe begin 'n voël buite die venster sing. 'n Lied van bome in 'n ritselende tuin, en van aandwind oor die see. "Waar kom die lieflike musiek tog vandaan?" fluister die keiser, en hy voel sy hart word lig, hy kry weer asem.

Hy maak sy oë oop en sien dis die ware nagtegaal uit die woud. Trane loop oor die keiser se wange. "Dankie, hemelse voëltjie," sê hy. "Wat kan ek vir jou gee? Jy het my gesond gesing."

"U trane is vir my genoeg," antwoord die nagtegaal. En sy sing die keiser aan die slaap.

Vroeg die volgende oggend staan die keiser op en maak die venster wyd oop. Buite sing die nagtegaal nog steeds. "Bly tog vir altyd by my in die paleis," smeek die keiser.

Maar die nagtegaal sê: "Dit kan ek nie doen nie. Die woud, waar takke in die seewind ritsel, is my huis. Maar ek sal laatnag kom en voor die venster vir u sing van dinge waarvan u in u paleis niks weet nie, en van die liefde."

Van toe af was die keiser nooit weer eensaam of bang nie.

'n Sprokie van Hans Christian Andersen, hier korter oorvertel.

DIE TOWERPALM

Baie somers en baie winters gelede gaan kla 'n vrou eendag by 'n slanke regop palmboom, die enigste een wat met sy voete in die water staan. "Ek wil tog so graag 'n kind hê," fluister sy vir die ruisende palm.

"Sjj, sjj," suis die palm, "jy sal 'n kind kry, maar hy sal net heeldag speel en nooit eendag werk as hy groot is nie."

"Ag wat," antwoord die vrou, "dis niks nie."

En sommer net twee, drie dae later, daar kry die vrou 'n babaseun. En ook net twee, drie dae later toe is die seun al 'n mooi jong man.

"Onthou net," sê sy ma vir hom, "jy kan doen wat jy wil, maar jy mag nooit in 'n palmboom klim wat met sy voete in die water staan nie."

"Nee, dis goed so," sê Akwasi Kwasaman.

Op 'n dag sit Akwasi Kwasaman en 'n jong meisie vir wie hy baie lief is, onder die palmbome. Hulle vertel stories vir mekaar, hulle lag en stoei en speel. Maar in die spelery breek die mooi kralebandjie wat die meisie om haar lyf het, stukkend en die kraletjies rol uit op die sand.

"Ai-nee," kla die meisie droewig, "nou's my kralebandjie stukkend. Dis jou skuld. Nou moet jy vir my gaan palmgare haal uit 'n palmblaar sodat ek die kraletjies weer aanmekaar kan ryg. Kyk, daardie palm wat met sy voete in die water staan, sy blare lyk die sterkste. Gaan haal vir my een van hulle."

Akwasi Kwasaman vergeet skoon van sy ma se waarskuwing en klim in die palmboom wat met sy voete in die water staan. Hoog, hoog klim hy tot hy net blou lug en wolke om hom sien. Maar toe hy sy mes deur die blaar se stingel laat gly, knars die palmboom se stam oop en sluk hom in.

Kort daarna kom sy ma verby. Sy sien 'n vreemde skaduwee op die water lê en sy vra: "Watter skaduwee lê daar op die water wat net soos my seun Akwasi Kwasaman s'n lyk?"

Dof uit die palmboom antwoord Akwasi Kwasaman: "Dis myne, my ma."

"En hoekom het die palmboom jou ingesluk?" vra sy ma.

"Omdat ek palmgare kom haal het vir my liefste se kralebandjie wat stukkend is," antwoord hy.

"Nou dan, Palm," sê die ma, "druk hom vas, druk hom vas, Palm, hierdie kind van my. Druk hom vas, druk hom vas."

Toe kom Akwasi Kwasaman se pa verby en hy vra: "Watter skaduwee lê daar op die water wat net soos my seun Akwasi Kwasaman s'n lyk?"

Dof uit die palmboom antwoord Akwasi Kwasaman: "Dis myne, my pa."

"En hoekom het die palmboom jou ingesluk?" vra sy pa.

"Omdat ek palmgare kom haal het vir my liefste se kralebandjie wat stukkend is," antwoord hy.

"Nou dan, Palm," sê die pa, "druk hom vas, druk hom vas, Palm, hierdie kind van my. Druk hom vas, druk hom vas."

Toe gaan die pa en die ma na Akwasi Kwasaman se oupa, wat ook die dorps-oudste was, en vertel die wyse ou man wat gebeur het.

En sy oupa en al die mense van die dorpie loop na die palm wat met sy voete in die water staan, en die oupa vra: "Watter skaduwee lê daar op die water wat net soos my kleinseun Akwasi Kwasaman s'n lyk?"

Dof uit die palmboom antwoord Akwasi Kwasaman: "Dis myne, my oupa."

"En hoekom het die palmboom jou ingesluk?" vra sy oupa.

"Omdat ek palmgare kom haal het vir my liefste se kralebandjie wat stukkend is," antwoord hy.

"Nou dan, Palm," sê die oupa, "druk hom vas, druk hom vas, Palm, hier-die kleinseun van my. Druk hom vas, druk hom vas." En die mense van die dorpie begin almal 'n lied van die woorde te maak: "Nou dan, Palm," sing hulle, "druk hom vas, Palm, hierdie seun van ons dorp. Druk hom vas, druk hom vas . . ."

Toe almal weg is, kom die meisie met die stukkende kralebandjie agter die ander palms uit en vra: "Wie se skaduwee lê daar op die water wat net soos my liefste Akwasi Kwasaman s'n lyk?"

Helder uit die palmboom kom Akwasi Kwasaman se stem: "Dis ek, jou liefste."

"En hoekom het die palmboom jou ingesluk?" vra die meisie.

"Ek wou vir jou palmgare kom haal omdat jou kralebandjie stukkend is. En toe sluk die palm my in."

Toe sê die meisie: "Nou dan, Palm, laat hom los, laat hom los, hierdie lief-ste van my. Laat hom los, laat hom los . . ."

En die palm kraak oop en Akwasi Kwasaman klouter uit en toe hy onder kom, sit hy sy arms styf om die meisie met die stukkende kralebandjie en hulle twee smelt weg tot 'n poeletjie olie op 'n palmblaar.

Die volgende môre kom die mense water haal en kokosneute pluk. Hulle sien die helder poel olie en smeer dit aan hulle gesigte en aan hul arms. En, so vertel die ou mense, dié wat olie aan hulle gesmeer het, is die mooi mense op die aarde, en dié wat nie olie aan hulle gesmeer het nie, is die minder mooies.

Vertel hierdie storie weer vir iemand anders, laat hom ver en wyd swerf, of hy nou soet is of suur, en laat eendag weer 'n stukkie daarvan terugkom na die storieverteller.

Ghanees. 'n Verhaal van die Asjanti, deur R. S. Rattray opgeteken – Akan-Ashanti Folktales, *1930. Ook in* Westafrikanische Märchen *opgeneem, en daarvolgens oorvertel. Volgens Paul Radin in* African Folktales *sluit die Asjanti-storievertellers graag hul vertellings af soos hier bo. Hulle weet maar alte goed dat oorvertellings swerfgoed is wat hulself vernuwe met die klanke en kleure van ander tale en ander lande – soos ook in hierdie bundel.*

Bronne nagelees

Albertyn, C. F. & Spies, J. J. (reds.). 1962. *Kinders van die Wêreld*, Deel 1. Kaapstad: Albertyn.

Albertyn, C. F. & Spies, J. J. (reds.) & Du Raan, Anna S. (asst.red.). 1964. *Kinders van die Wêreld*, Deel 4. Kaapstad: Albertyn.

Albertyn, C. F. & Spies, J. J. (reds.) & Du Raan, Anna S. (asst.red.). Geen datum. *Kinders van die Wêreld*, Deel 6. Kaapstad: Albertyn.

Albertyn, C. F. & Spies, J. J. (reds.) & Du Raan, Anna S. (asst.red.). Geen datum. *Kinders van die Wêreld*, Deel 7. Kaapstad: Albertyn.

Andersen, Hans Christian. 1968. *Andersens Märchen*. Berlyn: Droemer Knaur.

Arnold, Rainer (red. en bewerker). 1987. *Der Wolkenschmaus: Märchen aus Namibia*. Hanau: Müller & Kiepenheuer.

Arnott, Kathleen (oorverteller). 2000. *Tales from Africa*. Oxford: Oxford University Press.

Ascher, Marcia. 1990. A River-crossing Problem in Cross-Cultural Perspective. *Mathematics Magazine* 63(1). Februarie. Internet.

Berry, James. 1989. *Anancy Spiderman: 20 Caribbean Folk Stories*. Londen: Walker Books.

Bleek, W. H. I. & Lloyd, L. C. 1911. *Specimens of Bushmen Folklore*. Londen: G. Allen.

Bleek, W. H. I. 1864. *Reynard the Fox in South Africa* or *Hottentot fables*. Londen: Trubner.

Carey, Margret. 1970. *Myths and Legends of Africa*. Hamlyn.

Charles Perrault's Fairy Tales. 1976. Vert. Anne Carter. Londen: Jonathan Cape.

De Jong, Eelke & Sleutelaar, Hans (versamelaars/oorvertellers). 1985. *Alle sprookjes van de Lage Landen*. Unieboek.

De Meyer, Maurits (versamelaar). 1995. *Vlaamse Sprookjes*. Antwerpen: Standaard.

De sprookjes van Grimm. Vert. M. M. de Vries-Vogel. Utrecht: W. de Haan N.V.

Die schönsten Grimm-Märchen. 1991. Wene: Carl Überreuter.

Die schönsten Märchen der Brüder Grimm. 1998. Esslingen: J. F. Schreiber.

Diederichs, Ulf (red.). 1973. *Die Geister des Gelben Flusses: Märchen aus China*. Düsseldorf: Eugen Diederichs.

Ein kurzweilig Lesen von Till Eulenspiegel: Vollständige Textausgabe des Volksbuches von 1515 und 1519. Geredigeer en met aantekeninge voorsien deur Günter Jäckel. Leipzig: Reclam.

Fabels van Esopus. 1992. Vert. Linda Rode. Kaapstad: Human & Rousseau.

Fabels van La Fontaine. 1975. Berymer en oorverteller E. P. du Plessis. Kaapstad: Human & Rousseau.

Folklore, Fables and Fairytales: Home University Bookshelf, Vol. 3. New York: The University Society.

Fun and Thought for Little Folk: Home University Bookshelf, Vol. 1. 1927. New York: The University Society.

Golden Stories: Home University Bookshelf, Vol. 2. 1927. New York: The University Society.

Great Children's Stories: The Classic Volland Edition. 1981. Chicago: Rand McNally.

Hamilton, Virginia (oorverteller). 1985. *The People could Fly: American Black Folktales*. New York: Alfred Knopf.

Klaffke, Bernhard. 1948. *Märchenreise durch Deutschland*. Braunschweig: Westermann.

Lesebuch 3. 1967. Stuttgart: Klett.

Megas, Georgios (versamelaar en red.). 1965. *Griechische Volksmärchen: Die Märchen der Weltliteratur*. Vert. Inez Diller. Düsseldorf: Eugen Diederichs.

Meier, Harri & Woll, Dieter (reds.). 1975. *Portugiesische Märchen: Die Märchen der Weltliteratur*. Düsseldorf: Eugen Diederichs.

Miller, Penny. 1979. *Myths and Legends of Southern Africa*. Kaapstad: Bulpin Publications.

Msimang, C. T. *Folktale Influence on the Zulu Novel.* Pretoria: Acacia Books.

Opie, Iona & Peter. 1979. *The Puffin Book of Nursery Rhymes.* Bungay, Suffolk: The Chaucer Press.

Postma, Minnie. 1986. *As die maan oor die lug loop.* Saamgestel deur Hennie Aucamp. Kaapstad: Tafelberg.

Radin, Paul (red.). 1983. *African Folktales.* New York: Schocken Books.

Rode, Linda (oorverteller). 1992. *Stories vir die vaak.* Kaapstad: Tafelberg.

Roemens-Reurslag, J. (versamelaar en vert.). 1971. *De oude sprookjes.* Baarn: Hollandia.

Schild, Ulla (red. en vert.). 1975. *Westafrikanische Märchen: Die Märchen der Weltliteratur.* Düsseldorf: Eugen Diederichs.

Schmidt, Sigrid (red. en vert.). 1997. *Märchen aus Namibia: Volkserzählungen der Nama und Dama.* Reinbek bei Hamburg: Rowohlt.

Sirovátka, Oldrich (red.). 1969. *Tschechische Volksmärchen: Die Märchen der Weltliteratur.* Vert. Gertrud Oberdorffer. Düsseldorf: Eugen Diederichs.

Sprookjes uit de Sovjet-Unie: Sprookjes uit Moldavië. Vert. Roger Nieuweboer. Moskou: Radoeg.

Von Wielligh, G. R. 1907. *Diire storiis – soos deur die Hottentots ferteld.* Paarlsche Drukpers.

Von Wielligh, G. R. 1919. *Boesman-Stories.* Nasionale Pers.

Wendt-Riedel, Konstanze (red.). 1989. *Märchen aus Südafrika: Die Geburt der Schlange.* Vert. Gunter Riedel. Hanau: Müller & Kiepenheuer.

Werner, Alice. 1933. *Myths and Legends of the Bantu.* Londen: Harrap.

Wiersma, J. P. (versamelaar en oorverteller). 1948. *Friese volkssprookjes.* Utrecht: W. de Haan N. V.

Wilson, Barbara Ker (oorverteller). 1999. *Fairy Tales from Scotland.* Oxford: Oxford University Press.

Die prente in hierdie boek is handgeverfde droënaaldetse. 'n Etsnaald is gebruik om prente op polipropileen-plate te teken, waarna dit met die hand op Fabriano-papier gedruk, en toe geverf is.

Ek is die kunstenaar en afdrukmaker ALMA VORSTER baie dank verskuldig vir die sorg en artistieke vaardigheid waarmee sy die drukwerk gedoen het.

— FIONA MOODIE

Tafelberg, 'n druknaam van NB-Uitgewers
Heerengracht 40, Kaapstad
Teks © 2009 H. Rode
Illustrasies © 2009 F. Moodie
Omslagontwerp deur Teresa Williams
Boekontwerp en setwerk deur Teresa Williams
Geset in 13½ op 20 pt Adobe Garamond, met Tempus Sans
Reproduksie deur Virtual Colour, Kaapstad
Gedruk en gebind in China deur Colorcraft Bpk, Hongkong
Eerste uitgawe, eerste druk 2009

ISBN: 978-0-624-04767-4